검정고시
합격대비

최신
개정판

한양학원
수험서

편집부 저

빠른 합격의 시작!

기초다지기

기초부터 차근차근 시작할 수 있는 교재
기초가 없어 시작을 망설이는 수험생을 위한 교재

도서출판 국자감
www.kukjagam.co.kr

Contents

01. 국어 03
02. 수학 15
03. 영어 22
04. 사회 27
05. 과학 32
06. 한국사 40
07. 도덕 45

정답 및 해설 | 49

Ⅰ. 문학

01. 시

1. 시 : 인간의 생각이나 감정을 리듬감 있는 언어로 압축하여 표현한 운문 문학

2. 시의 종류

* **형식에 따른 분류**

1) **정형시** : 일정한 형식에 따라 씀
2) **자유시** : 일정한 형식 없이 자유롭게 씀
3) **산문시** : 산문처럼 줄글 형태의 시

3. 시의 3요소

1) **주제** : 시를 통해 지은이가 나타내고자 하는 중심 생각
2) **운율** : 시를 읽을 때 느껴지는 말의 가락
① 내재율 : 일정한 규칙이 겉으로 드러나지 않고, 시 속에서 은근하게 느껴지는 운율
② 외형률 : 일정한 형식을 통해 규칙적인 리듬이 시의 표면에 드러나는 운율
3) **심상** : 감각적으로 느껴지는 이미지
① 시각적 심상 : 눈을 통해 모양이나 빛깔 등을 보는 듯한 심상
예 붉은 파밭에 푸른 새싹
② 청각적 심상 : 귀를 통해 소리를 듣는 듯한 심상
예 뒷문 밖에는 갈잎의 노래
③ 미각적 심상 : 혀를 통해 맛을 보는 듯한 심상
예 달콤 쌉싸름한 초콜릿
④ 후각적 심상 : 코를 통해 냄새를 맡는 듯한 심상
예 매화향기 은은하고
⑤ 촉각적 심상 : 피부를 통해 감촉을 느끼는 듯한 심상
예 부드러운 고양이의 털
⑥ 공감각적 심상 : 한 감각을 다른 감각으로 전이시켜 표현함으로써 둘 이상의 감각이 어우러져 이루어지는 심상
예 푸른 휘파람 소리가 나거든요

4. 시의 표현법

1) **비유** : 표현하려는 대상을 직접 설명하지 않고 다른 대상에 빗대어 표현하는 방법
① 직유법 : 성질이나 모양이 비슷한 두 대상을 '같이', '처럼', '듯이' 등의 연결어를 사용하여 직접 빗대어 표현하는 방법
예 나는 찬밥처럼 방에 담겨, 쟁반같이 둥근 달
② 은유법 : 표현하려는 대상을 연결어 없이 비슷한 특성이 있는 다른 대상에 빗대어 '무엇은 무엇이다'의 형태로 표현하는 방법
예 내 마음은 호수요. 나는 나룻배
③ 의인법 : 사람이 아닌 대상에 인격을 부여하여 사람인 것처럼 표현하는 방법
예 풀 아래 웃음짓는 샘물, 달님이 미소를 짓는다

2) **상징** : 눈으로 볼 수 없는 추상적인 개념을 구체적인 대상으로 표현하는 방법
예 소나무 : 지조, 절개

5. 시 감상하기

엄마 걱정
_ 기형도

열무 삼십 단을 이고
시장에 간 우리 엄마
안 오시네, 해는 시든 지 오래
나는 찬밥처럼 방에 담겨
아무리 천천히 숙제를 해도
엄마 안 오시네, 배춧잎 같은 발소리 타박타박
안 들리네, 어둡고 무서워
금 간 창틈으로 고요히 빗소리
빈방에 혼자 엎드려 훌쩍거리던

아주 먼 옛날
지금도 내 눈시울을 뜨겁게 하는
그 시절, 내 유년의 윗목

02. 소설

1. 소설 : 현실 세계에 있을 법한 일을 작가가 상상하여 꾸며 쓴 산문 문학

2. 소설의 특성

1) **허구성** : 실제 있었던 일이 아니라 작가가 상상을 통해 꾸며 낸 이야기
2) **개연성** : 실제로 일어날 만한 이야기
3) **진실성** : 꾸며낸 이야기이지만 인생의 진리와 삶의 진솔한 모습을 담음
4) **서사성** : 사건의 내용이 일정한 시간의 흐름에 따라 전개됨

3. 소설 구성의 요소

1) **인물** : 작품 속에 등장하는 사람. 작품에서 갈등을 만들고 해결하면서 이야기를 전개하는 주체
2) **사건** : 작품 속에서 인물들이 겪는 일이나 벌이는 행동. 사건을 통해 이야기가 전개됨
3) **배경** : 인물들이 행동하고 사건이 일어나는 시간이나 장소

4. 갈등 양상에 따른 소설의 구성 단계

1) **발단** : 등장 인물과 배경이 소개되고, 사건의 실마리가 드러남
2) **전개** : 사건이 발전되며, 갈등이 시작됨
3) **위기** : 갈등이 깊어지며, 긴장감과 위기감이 조성됨
4) **절정** : 갈등이 최고조에 이르고, 사건 해결의 실마리가 보임
5) **결말** : 갈등이 해결되고, 사건이 마무리됨. 주인공의 운명이 결정됨

5. 소설의 시점

1) **시점의 개념** : 서술자가 인물이나 사건을 바라보는 위치나 관점, 또는 서술자가 이야기를 서술해 나가는 방식

2) **시점의 종류**

1인칭	주인공 시점	소설 속 주인공인 '나'가 자신의 이야기를 서술함
	관찰자 시점	소설 속 인물인 '나'가 주인공의 행동과 사건을 관찰하여 서술함
3인칭	관찰자 시점	소설 밖 서술자가 객관적인 태도로 인물의 행동이나 사건을 관찰하여 서술함
	전지적 작가 시점	소설 밖 서술자가 모든 것을 아는 입장에서 인물과 사건에 대해 서술함

6. 소설 감상하기

사랑 손님과 어머니
_ 주요섭

나는 금년 여섯 살 난 처녀애입니다. 내 이름은 박옥희이고요. 우리 집 식구라고는 세상에서 제일 예쁜 우리 어머니와 나, 단 두 식구뿐이랍니다. 아차 큰일 났군, 외삼촌을 빼놓을 뻔했으니.

지금 중학교에 다니는 외삼촌은 어디를 그렇게 싸돌아다니는지 집에는 끼니때 외에는 별로 붙어 있지를 않으니까 어떤 때는 한 주일씩 가도 외삼촌 코빼기도 못 보는 때가 많으니까요, 깜박 잊어버리기도 예사지요, 무얼.

우리 어머니는, 그야말로 세상에서 둘도 없이 곱게 생긴 우리 어머니는, 금년 나이 스물네 살인데 과부랍니다. 과부가 무엇인지 나는 잘 몰라도, 하여튼 동리 사람들이 나더러 '과부 딸'이라고들 부르니까, 우리 어머니가 과부인 줄을 알지요. 남들은 다 아버지가 있는데, 나만은 아버지가 없지요. 아버지가 없다고 아마 '과부 딸'이라나 봐요.

외할머니 말씀을 들으면 우리 아버지는 내가 이 세상에 나오기 한 달 전에 돌아가셨대요. 우리 어머니하고 결혼한 지는 일 년 만이고요. 우리 아버지의 본집은 어디 멀리 있는데, 마침 이 동리 학교에 교사로 오게 되기 때문에 결혼 후에도 우리 어머니는 시집으로 가지 않고, 여기 이 집을 사고(바로 이 집은 우리 외할머니댁 옆집이지요), 여기서 살다가 일 년이 못 되어 갑자기 돌아가셨대요. 내가 세상에 나오기도 전에 아버지는 돌아가셨다니까, 나는 아버지 얼굴도 못 뵈었지요. 그러니 아무리 생각해 보아도 아버지 생각은 안 나요. 아버지 사진이라는 사진은 나도 한두 번 보았지요. 참말로 훌륭한 얼굴이에요. 아버지가 살아 계시다면, 참말로 이 세상에서 제일가는 잘난 아버지일 거예요. 그런 아버지를 보지도 못한 것은 참으로 분한 일이에요. 그 사진도 본 지가 퍽 오래 되었는데, 이전에는 그 사진을 늘 어머니 책상 위에 놓아두시더니, 외할머니가 오시면 오실 때마다 그 사진을 치우라고 늘 말씀하셨는데, 지금은 그 사진이 어디 있는지 없어졌어요. 언젠가 한번 어머니가 나 없는 동안에 몰래 장롱 속에서 무엇을 꺼내 보

시다가, 내가 들어오니까 얼른 장롱 속에 감추는 것을 보았는데, 그게 아마 아버지 사진인 것 같았어요.

아버지가 돌아가시기 전에 우리가 먹고살 것을 남겨 놓고 가셨대요. 작년 여름에, 아니로군, 가을이 다 되어서군요. 하루는 어머니를 따라서 여기서 한 십 리나 가서 조그만 산이 있는 데를 가서, 거기서 밤도 따 먹고, 또 그 산 밑에 초가집에 가서 닭고깃국을 먹고 왔는데, 거기 있는 땅이 우리 땅이래요. 거기서 나는 추수로 밥이나 굶지 않게 된다고요. 그래도 반찬 사고 과자 사고 할 돈은 없대요. 그래서 어머니가 다른 사람의 바느질을 맡아서 해 주지요. 바느질을 해서 돈을 벌어서 그걸로 청어도 사고, 달걀도 사고, 내가 먹을 사탕도 사고 한다고요.

그리고 우리 집 정말 식구는 어머니와 나와 단 둘뿐인데, 아버님이 계시던 사랑방이 비어 있으니까, 그 방도 쓸 겸 또 어머니의 잔심부름도 좀 해 줄 겸 해서 우리 외삼촌이 사랑방에 와 있게 되었대요.

금년 봄에는 나를 유치원에 보내 준다고 해서, 나는 너무나 좋아서 동무 아이들한테 실컷 자랑을 하고 나서 집으로 돌아오노라니까, 사랑에서 큰외삼촌이(우리 집 사랑에 와 있는 외삼촌의 형님 말이에요) 웬 한 낯선 사람 하나와 앉아서 이야기를 하고 있었습니다. 큰외삼촌이 나를 보더니 "옥희야." 하고 부르겠지요.

"옥희야, 이리 온. 와서 이 아저씨께 인사드려라."

나는 어째 부끄러워서 비슬비슬하니까, 그 낯선 손님이,

"아, 그 애기 참 곱다. 자네 조카딸인가?"

하고 큰외삼촌더러 묻겠지요. 그러니까 큰외삼촌은,

"응, 내 누이의 딸……. 경선 군의 유복녀 외딸일세."

하고 대답합니다.

"옥희야, 이리 온, 응! 그 눈은 꼭 아버지를 닮았네그려."

하고 낯선 손님이 말합니다.

"자, 옥희야, 커단 처녀가 왜 저 모양이야. 어서 와서 이 아저씨께 인사드려라. 네 아버지의 옛날 친구(親舊)신데, 오늘부터 이 사랑에 계실 텐데, 인사 여쭙고 친해 두어야지."

나는 낯선 손님이 사랑방에 계시게 된다는 말을 듣고 갑자기 즐거워졌습니다. 그래서 그 아저씨 앞에 가서 사뭇이 절을 하고는 그만 안마당으로 뛰어 들어왔지요. 그 낯선 아저씨와 큰외삼촌은 소리를 내서 크게 웃더군요.

나는 안방으로 들어오는 나름으로 어머니를 붙들고,

"엄마, 사랑방에 큰외삼촌이 아저씨를 하나 데리구 왔는데에 그 아저씨가아 이제 사랑에 있는대."

하고 법석을 하니까,

"응, 그래."

하고 어머니는 벌써 안다는 듯이 대수롭잖게 대답(對答)을 하더군요.

그래서 나는

"언제부터 와 있나?"

하고 물으니까,

"오늘부텀."

"애구, 좋아."

하고 내가 손뼉을 치니까, 어머니는 내 손을 꼭 붙잡으면서,

"왜, 이리 수선이야."

"그럼 작은외삼촌은 어디로 가나?"

"외삼촌도 사랑에 계시지."

"그럼 둘이 있나?"

"응."

"한 방에 둘이 있어?"

"왜, 장지문 닫고 외삼촌은 아랫방에 계시고 그 아저씨는 윗방에 계시고, 그러지"

나는 그 아저씨가 어떠한 사람인지는 몰랐으나 첫날부터 내게는 퍽 고맙게 굴고, 나도 그 아저씨가 꼭 마음에 들었어요.

어른들이 저희끼리 말하는 것을 들으니까, 그 아저씨는 돌아가신 우리 아버지와 어렸을 적 친구라고요. 어디 먼 데 가서 공부를 하다가 요새 돌아왔는데, 우리 동리 학교 교사로 오게 되었대요. 또, 우리 큰외삼촌과도 동무인데, 이 동리에는 하숙도 별로 깨끗한 곳이 없고 해서 윗사랑으로 와 계시게 되었다고요. 또, 우리도 그 아저씨한테서 밥값을 받으면 살림에 보탬도 좀 되고 한다고요.

그 아저씨는 그림책들을 얼마든지 가지고 있어요. 내가 사랑방으로 나가면, 그 아저씨는 나를 무릎에 앉히고 그림책들을 보여 줍니다. 또, 가끔 과자도 주고요.

01 _ 국어

03. 수필

1. 수필 : 생활 속의 체험에서 얻은 생각이나 느낌을 형식에 얽매이지 않고 자유롭게 쓴 산문 문학

2. 수필의 특징

① 형식이 자유롭다.
② 소재나 내용에 제한이 없다.
③ 누구나 쓸 수 있는 비전문적인 글이다.
④ 자기 고백적이고 주관적이다.
⑤ 글쓴이의 개성과 가치관(인생관)이 잘 나타난다.

3. 수필과 소설의 공통점과 차이점

	수필	소설
공통점	· 줄글 형식의 산문 문학 · 독자에게 감동과 즐거움을 줌	
차이점	· 직접 경험한 사실을 씀 · 글 속의 '나'는 글쓴이 자신임 · 정해진 형식이 없음 · 글쓴이의 생각이 직접적으로 드러남	· 허구적으로 꾸며낸 이야기임 · 글 속의 '나'는 글쓴이가 만들어 낸 인물임 · 구성 단계에 따른 형식이 있음 · 글쓴이의 생각이 이야기를 통해 간접적으로 드러남

4. 수필 감상하기

괜찮아
_ 장영희

초등학교 때 우리 집은 서울 동대문구 제기동에 있는 작은 한옥이었다. 골목 안에는 고만고만한 한옥 여섯 채가 서로 마주 보고 있었다. 그 때만 해도 한 집에 아이가 보통 네댓은 됐으므로 골목길 안에만도 초등학교 다니는 아이가 줄잡아 열 명이 넘었다. 학교가 파할 때쯤 되면 골목은 시끌벅적, 아이들의 놀이터가 되었다.

어머니는 내가 집에서 책만 읽는 것을 싫어하셨다. 그래서 방과 후 골목길에 아이들이 모일 때쯤이면 대문 앞 계단에 작은 방석을 깔고 나를 거기에 앉히셨다. 아이들이 노는 걸 구경이라도 하라는 뜻이었다.

딱히 놀이 기구가 없던 그때, 친구들은 대부분 술래잡기, 사방치기, 공기놀이, 고무줄놀이 등을 하고 놀았지만 나는 공기놀이 외에는 그 어떤 놀이에도 참여할 수 없었다. 하지만 골목 안 친구들은 나를 위해 꼭 무언가 역할을 만들어 주었다. 고무줄놀이나 달리기를 하면 내게 심판을 시키거나 신발주머니와 책가방을 맡겼다. 그뿐인가. 술래잡기를 할 때는 한곳에 앉아 있어야 하는 내가 답답해할까 봐 어디에 숨을지 미리 말해 주고 숨는 친구도 있었다.

우리 집은 골목에서 중앙이 아니라 모퉁이 쪽이었는데 내가 앉아 있는 계단 앞이 늘 친구들의 놀이 무대였다. 놀이에 참여하지 못해도 난 전혀 소외감이나 박탈감을 느끼지 않았다. 아니, 지금 생각하면 내가 소외감을 느낄까 봐 친구들이 배려해 준 것이었다.

그 골목길에서의 일이다. 초등학교 1학년 때였던 것 같다. 하루는 우리 반이 좀 일찍 끝나서 나 혼자 집 앞에 앉아 있었다. 그런데 그때 마침 골목을 지나던 깨엿 장수가 있었다. 그 아저씨는 가위를 쩔렁이며, 목발을 옆에 두고 대문 앞에 앉아 있는 나를 흘낏 보고는 그냥 지나쳐 갔다. 그러더니 리어카를 두고 돌아와 내게 깨엿 두 개를 내밀었다. 순간 아저씨와 내 눈이 마주쳤다. 아저씨는 아무 말도 하지 않고 아주 잠깐 미소를 지어 보이며 말했다.

"괜찮아."

무엇이 괜찮다는 건지 몰랐다. 돈 없이 깨엿을 공짜로 받아도 괜찮다는 것인지, 아니면 목발을 짚고 살아도 괜찮다는 말인지……. 하지만 그건 중요하지 않다. 중요한 것은 내가 그날 마음을 정했다는 것이다. 이 세상은 그런대로 살 만한 곳이라고, 좋은 친구들이 있고 선의와 사랑이 있고, '괜찮아'라는 말처럼 용서와 너그러움이 있는 곳이라고 믿기 시작했다는 것이다.

오래전 학교 친구를 찾아 주는 방송 프로그램이 있다. 한번은 가수 김현철이 나와서 초등학교 때 친구를 찾았는데, 함께 축구 경기를 하던 이야기가 나왔다. 당시 허리가 36인치일 정도로 뚱뚱한 친구가 있었는데, 뚱뚱해서 잘 뛰지 못한다고 다른 친구들이 축구팀에 끼워 주려고 하지 않았다. 그때 김현철이 나서서 말했다고 한다.

"괜찮아. 얜 골키퍼를 시키면 우리 함께 놀 수 있잖아!"

그래서 그 친구는 골키퍼를 맡아 함께 축구를 했고,

몇십 년이 지난 후에도 김현철의 따뜻한 말과 마음을 그대로 기억하고 있었다.

괜찮아 — 난 지금도 이 말을 들으면 괜히 가슴이 찡해진다. 2002년 월드컵 4강에서 독일에 졌을 때 관중들은 선수들을 향해 외쳤다.

"괜찮아! 괜찮아!"

혼자 남아 문제를 풀다가 결국 골든벨을 울리지 못해도 친구들이 얼싸안고 말해 준다.

"괜찮아! 괜찮아!"

"그만하면 참 잘했다." 라고 용기를 북돋아 주는 말, "너라면 뭐든지 다 눈감아 주겠다."라는 용서의 말, "무슨 일이 있어도 나는 네 편이니 넌 절대 외롭지 않다." 라는 격려의 말. "지금은 아파도 슬퍼하지 말라."라는 나눔의 말, 그리고 마음으로 일으켜 주는 부축의 말, 괜찮아.

그래서 세상 사는 것이 만만치 않다고 느낄 때, 죽은 듯이 노력해도 내 맘대로 일이 풀리지 않는다고 생각될 때, 나는 내 마음속에서 작은 속삭임을 듣는다. 오래전 내 따뜻한 추억 속 골목길 안에서 들은 말 — '괜찮아! 조금만 참아. 이제 다 괜찮아질 거야.'

아, 그래서 '괜찮아'는 이제 다시 시작할 수 있다는 희망의 말이다.

04. 극문학 (희곡, 시나리오)

1. 희곡 : 무대 상연을 목적으로 하는 연극의 대본

2. 시나리오 : 영화나 드라마 제작을 목적으로 하여 쓴 대본

3. 희곡과 시나리오의 특징

희곡	시나리오
· 무대 상연을 전제로 함 · 막과 장을 기본 단위로 함 · 시간과 공간, 등장인물의 수에 제약을 받음	· 영화나 드라마 상영을 전제로 함 · 장면(Scene)을 기본 단위로 함 · 시간과 공간, 등장인물의 수에 제약이 거의 없음
· 등장인물의 대사와 행동(지시문)을 통해 사건이 전개됨 · 대립과 갈등을 중심으로 이야기가 전개되는 산문 문학임 · 현재화된 인생의 표현	

4. 희곡 감상하기

들판에서
_ 이강백

등장인물 : 형, 아우, 측량 기사, 조수들, 사람들
장소 : 들판

무대 뒤쪽에 들판의 풍경을 그린 커다란 걸개그림이 걸려 있다. 샛노란 민들레꽃, 빨간 양철 지붕의 집, 한가롭게 풀을 뜯는 젖소들이 동화책의 아름다운 그림을 연상시킨다.

막이 오른다. 형과 아우, 들판에서 그림을 그리고 있다. 형은 오른쪽에서, 아우는 왼쪽에서 수채화를 그린다. 둘 다 즐거운 표정으로, 휘파람을 불거나 노래를 부른다. 형, 아우에게 다가가서 그림을 바라본다.

형 야. 멋진데! 아주 멋지게 그렸어!
아우 경치가 좋으니까 그림이 잘 그려져요.
형 넌 정말 솜씨가 훌륭해!
아우 형님 솜씨가 더 훌륭하지요.
형 아냐, 난 너만큼 잘 그리지 못하는걸.
아우 (형의 그림이 있는 곳으로 와서 감탄한다.) 형님 그림이 훨씬 멋있어요!
형 (기뻐하며) 오, 그래?
아우 그럼요. 푸른 들판, 시냇물과 오솔길, 샛노랗게 피어 있는 민들레꽃, 한가롭게 풀을 뜯는 젖소들……. 참 아름답고 평화로운 풍경이군요.
형 난 아직 집은 못 그렸어. 그런데 너는 벌써 우리가 사는 집까지 그렸구나. 들판 한가운데 빨간색 양철 지붕과 하얀 연기가 피어오르는 굴뚝…….
아우 난 이곳에서 평생토록 형님과 함께 살고 싶어요.
형 나도 너와 함께 아름다운 이곳에서 행복하게 살고 싶어.

형과 아우, 다정하게 포옹한다.

5. 시나리오 감상하기

챔피언
_ 홍자람

S# 32. 8반 교실(낮)

특별 활동 시간. 세리가 안건과 결정된 사항을 적고 있고, 욱이 사회를 보고 있다. 아이들, 지루해서 몸을 뒤틀고 있다.

욱 자, 그럼 이상으로…….

아이들, 끝나서 일어서려는데 욱이 말없이 가만히 고민하듯 서 있다. 아이들, 궁금한 표정으로 욱을 지켜본다.

욱 (망설이다 결심한 듯) 마지막으로 긴급 안건을 하나 제안할 게 있는데요.
아이들 (궁금해한다.)
욱 ……. 7반과 농구 시합을 다시 했으면 합니다.

정민을 비롯하여 사실을 몰랐던 반 아이들이 웅성거리고, 정민이 멍하니 욱을 본다. 옥림, 걱정스러운 표정으로 욱을 지켜본다.

세리 (당황해서 못 박듯 욱에게) 야, 너 반장이라고 뭐든지 네 맘대로 해도 된다고 생각하나 본데, 왜 이러셔? 나도 부반장이야! 너 혼자 7반 가서 사과하고, 시합하고, 나 그 꼴 못 봐. 아니, 안 봐.
욱 그러니까 지금 너희들한테 동의를 구하는 거 아냐.
용우 (흥분해서) 동의? 그래, 너 말 잘했다. 우린 동의 못해! 절대 못해!
보비 우리가 얼마나 힘들게 이긴 건데, 그걸 걔네한테 그냥 갖다 바쳐!
욱 그냥 엎자는 말이 아냐. 선 밟은 거 인정하고 재경기를 하자고.
정민 솔직히 말해서 7반 애들 반칙한 거, 팔꿈치로 용우랑 하림이 칠 때도 그렇고 체육 선생님 7반 애들 반칙 못 보고 놓친 거 많아. 그렇게 하나하나 따지기 시작하면 완벽한 경기란 거, 세상에 없는 거 아냐?
욱 (정민 향해 열심히 말하는) 하지만 세상엔 멋진 경기도 있어. 우리 그런 경기 보면 기분 좋잖아. 최소한 그렇게 하려고 노력은 해야 되는 거 아냐?
정민 (욱을 보다가 한숨쉬며 좋게 말하는) ……. 니가 너무 맘이 불편해서 양심선언을 꼭 하고 싶다면 그건 말릴 생각 없어. 하지만 그런다고 세상이 바뀌거나 하지는 않아. 다시 말해서 네가 깨끗해지고 싶다는건 그냥 자기만족이나 결벽증 같은 거야.
욱 (말 못하고 있다.)
세리 (기선을 잡았다는 듯이) 그래, 결벽증! 너 혼자만 깨끗해서 뭘 어떻게 하겠다고 그러냐?
보비 (삐죽이며) 맞아! 흙탕물에 생수 한 병 붓는다고 물이 깨끗해져? 계속 흙탕물이지.

정민의 말로 반 분위기가 완전히 기울어진 듯 아이들이 욱에게 마구 말을 쏟아 낸다. 그때,

옥림 그래도…… 흙탕물이 묽어지긴 하잖아.
8반 아이들 (멈칫해서 옥림을 본다.)
옥림 (더듬더듬) 계속 그렇게 쏟아붓다 보면 물도 깨끗해질 테고, 좀 시간은 오래 걸리겠지만. 우리가 선 밟았다고 얘기하면 7반 애들도 딴 반이랑 깨끗하게 경기할지도 모르고……또…….
하림 (답답해하며) 아, 걔네는 그럴 애들이 아니라니까 그러네.
옥림 아니, 딱히 7반이 아니더라도, 다른 애들이 감동받아서 한 번쯤 그렇게 할지도 모르고…….
8반 아이들 (옥림을 본다.)
옥림 (아이들의 시선을 느끼며 수습하려 하나 버벅거리며) 계속 그러다 보면 부메랑처럼 돌고 돌아서, 그니까 물도 깨끗해지고, 어? 물은 깨끗한 물이 좋으니까, 그니까…….
세리 (통명스럽게) 아, 그래서 결론이 뭔데? 재경기 하자고, 말자고?
옥림 (어설프게 웃으며 얼버무리듯) 그냥…… 투표로 결정할래, 우리?

II. 독서

01. 설명문

1. **설명문** : 정보 전달을 목적으로 글쓴이가 잘 알고 있는 지식이나 정보를 알기 쉽게 풀어서 쓴 글

2. **설명문의 특징**
   1) **객관성** : 있는 그대로의 사실을 정확하게 전달함
   2) **정확성** : 정보나 지식을 사실에 근거하여 전달함
   3) **평이성** : 독자들이 이해할 수 있도록 쉽게 씀
   4) **체계성** : 일정한 구조(처음-가운데-끝)에 따라 내용을 짜임새 있게 구성함

3. **다양한 설명 방법**
   1) **정의** : 단어의 의미를 풀이하여 밝히며 설명하는 방법
   예 발효란 곰팡이나 효모와 같은 미생물이 탄수화물, 단백질 등을 분해하는 과정을 말한다.

   2) **예시** : 대상에 대한 구체적인 예를 들어 설명하는 방법
   예 언어는 시간의 흐름에 따라 변한다. 예를 들어 '어리다'는 단어는 '어리석다'는 뜻에서 '나이가 적다'로 의미가 변했다.

   3) **비교** : 둘 이상의 대상을 견주어 공통점이나 유사점을 중심으로 설명하는 방법
   예 미생물이 유기물에 작용하여 물질의 성질을 바꾸어 놓는다는 점에서 발효는 부패와 비슷하다.

   4) **대조** : 둘 이상의 대상을 견주어 차이점을 중심으로 설명하는 방법
   예 발효는 우리에게 유용한 물질을 만드는 반면에, 부패는 우리에게 해로운 물질을 만들어 낸다는 점에서 차이가 있다.

   5) **분류** : 대상을 일정한 기준에 의해 나누어 설명하는 방법
   예 문학의 종류에는 시, 소설, 수필, 희곡 등이 있다.

   6) **인용** : 다른 사람의 말이나 글을 자신의 말이나 글 속에 끌어 써서 설명하는 방법
   예 소크라테스는 '너 자신을 알라'고 말했다.

4. **설명문 읽기**

지혜가 담긴 음식, 발효 식품
_ 진소영

중국 신장의 요구르트, 스페인 랑하론의 하몬, 우리나라 구례 양동 마을의 된장, 이 음식들의 공통점은 무엇일까? 이것들은 모두 발효 식품으로, 세계의 장수 마을을 다룬 어느 방송에서 각 마을의 장수 비결로 꼽은 음식들이다.

발효 식품은 건강식품으로 널리 알려져 있다. 또한 다양한 발효 식품이 특유의 맛과 향으로 사람들의 입맛을 사로잡고 있다. 앞에서 소개한 요구르트, 하몬, 된장을 비롯하여 달콤하고 고소한 향으로 우리를 유혹하는 빵, 빵과 환상의 궁합을 자랑하는 치즈 등을 그 예로 들 수 있다. 이렇게 몸에도 좋고 맛도 좋은 식품을 만들어 내는 발효란 무엇일까? 그리고 발효 식품은 왜 건강에 좋을까? 먼저 발효의 개념을 알아보고, 우리나라의 전통 발효 식품을 중심으로 발효 식품의 우수성을 자세히 알아보자.

발효란 곰팡이나 효모와 같은 미생물이 탄수화물, 단백질 등을 분해하는 과정을 말한다. 미생물이 유기물에 작용하여 물질의 성질을 바꾸어 놓는다는 점에서 발효는 부패와 비슷하다. 하지만 발효는 우리에게 유용한 물질을 만드는 반면에, 부패는 우리에게 해로운 물질을 만들어 낸다는 점에서 차이가 있다. 그래서 발효된 물질은 사람이 안전하게 먹을 수 있지만, 부패한 물질은 식중독을 일으킬 수 있어서 함부로 먹을 수 없다.

그렇다면, 발효를 거쳐 만들어지는 전통 음식에는 무엇이 있을까? 가장 대표적인 전통 음식으로 김치를 꼽을 수 있다. 김치는 채소를 오랫동안 저장해 놓고 먹기 위해 조상들이 생각해 낸 음식이다. 김치는 우리가 채소의 영양분을 계절에 상관없이 섭취할 수 있도록 해 주고, 발효 과정에서 좋은 성분으로 우리의 건강을 지키는 데도 도움을 준다.

김치 발효의 주역은 젖산균이다. 채소를 묽은 농도의 소금에 절이면 효소 작용이 일어나면서 당분과 아미노

산이 생기고, 이를 먹이로 삼아 여러 미생물이 성장하면서 발효가 시작된다. 이때 김치 발효에 가장 중요한 역할을 하는 젖산균도 함께 성장하고 증식한다. 젖산균은 포도당을 분해하면서 젖산을 만들어 낸다. 젖산은 약한 산성 물질이어서 유해균이 증식하는 것을 억제하고, 김치가 잘 썩지 않게 한다. 그 덕분에 우리는 김치를 오래 두고 먹을 수 있다.

우리 김치가 우수한 것은 바로 이 젖산균과 젖산 때문이다. 젖산균과 젖산은 우리 몸 안에서 소화를 촉진하고 노폐물이 잘 배설될 수 있도록 돕는다. 또한 유해균이 번식하거나 발암 물질이 생성되는 것을 억제하기도 한다. 그래서 젖산균과 젖산이 풍부한 김치는 변비 및 대장암, 당뇨병 등을 예방하는 데에 효과적이다.

맛있는 음식을 만들 때 빠질 수 없는 전통 양념인 간장과 된장도 발효 식품이다. 먼저 간장을 만드는 과정을 살펴보자. 콩을 푹 삶아서 찧은 다음, 덩어리로 만든다. 이 콩 덩어리가 바로 메주이다. 메주를 따뜻한 곳에 두어 발효하고 소금물에 담가 우려낸다. 그 국물을 떠내어 달이면 간장이 완성된다.

메주가 소금물 속에서 발효될 때, 젖산균의 일종인 바실루스가 콩에 들어 있는 단백질을 분해하여 아미노산을 만들어 낸다. 그리고 아미노산은 소금물에 녹아들어 감칠맛을 더하고 영양소를 공급한다. 이처럼 간장은 음식을 더 맛있게 만들고 건강에도 좋기 때문에 우리 조상들은 장 담그는 일에 정성을 기울였다.

이제 된장을 만드는 과정을 살펴보자. 간장을 만들고 나면 메주가 남는다. 이 메주를 건져 내어 잘게 으깨고, 여기에 소금을 넣어서 잘 섞는다. 이를 장독에 넣어 1개월 이상 숙성시키면, 맛있는 된장이 완성된다.

된장은 필수 아미노산이 풍부해서, 아미노산이 적은 쌀밥을 주로 먹는 우리에게 꼭 필요한 식품이다. 또한 간 기능을 높이고, 피부병과 성인병을 예방하는 데에도 효과적이다. 이와 더불어 된장은 '암을 이기는 한국인의 음식' 중 하나로 꼽힐 정도로 항암 효과가 뛰어나다. 이는 메주가 발효되는 과정에서 항암 물질이 만들어지기 때문이다.

지금까지 우리의 전통 음식을 중심으로 발효 식품의 우수성을 알아보았다. 발효 식품은 오래 보관할 수 있고, 영양가가 풍부할 뿐만 아니라 그 재료와 미생물의 종류에 따라 독특한 맛과 향을 지녀서 우리 밥상을 풍성하게 해 준다. 이렇게 멋진 발효 식품을 물려준 조상님께 고마워하면서, 오늘 저녁밥으로 보글보글 끓인 된장찌개와 아삭아삭한 김치를 먹는 것은 어떨까? 앞으로 전통 발효 식품을 발전시킬 방법도 생각해 보면서 말이다.

02. 논설문

1. **논설문** : 글쓴이가 자신의 주장이나 의견에 대해 타당한 근거를 들어 독자를 설득하는 글

2. **논설문의 특징**
   1) **주관성** : 글쓴이의 주장과 의견이 뚜렷하게 드러남
   2) **설득성** : 독자를 설득하는 것을 목적으로 함
   3) **타당성** : 글쓴이의 주장을 뒷받침하는 근거는 합리적이고 타당해야 함

3. **논설문을 읽는 방법**
   1) 글의 내용을 주장과 근거로 구분하며 읽는다.
   2) 주장을 뒷받침하는 근거가 타당한지 판단하며 읽는다.

4. **논설문 읽기**

냉장고의 이중성
_ 박정훈

냉장고는 현대 가정의 필수품이다. 요즘 사람들은 냉장고 없이 사는 것을 상상할 수도 없을 것이다. 그런데 냉장고가 과연 문명의 이기(利器)이기만 한 것일까? 혹 우리의 삶을 위협하고 있지는 않을까? 여기서는 우리가 미처 생각하지 못했던 냉장고의 부정적인 측면에 대해 생각해 보도록 하자.

먼저 냉장고를 사용하면 전기를 낭비하게 된다. 언제 먹을지 모를 음식을 보관하는 데 필요 이상으로 전기를 쓰게 되는 것이다. 전기를 낭비한다는 것은 전기를 만드는 데 쓰이는 귀중한 자원을 낭비하는 것과 같다.

우리는 냉장고를 쓰면서 인정을 잃어 간다. 냉장고가 없던 시절에는 식구가 먹고 남을 정도의 음식을 만들거나 얻게 되면 미련 없이 이웃과 나누어 먹었다. 여러 가

지 이유가 있겠지만 그 이유 가운데 하나는 남겨 두면 음식이 상한다는 것이었다. 그런데 냉장고를 사용하게 되면서 그 이유가 사라지게 되고, 이에 따라 이웃과 음식을 나누어 먹는 일이 줄어들게 되었다. 냉장고에 넣어 두면 일주일이고 한 달이고 오랫동안 상하지 않게 보관할 수 있기 때문이다. 냉장고는 점점 커지고, 그 안에 넣어 두는 음식은 하나둘씩 늘어난다.

또한 냉장고는 당장 소비할 필요가 없는 것들을 사게 한다. 그리하여 애꿎은 생명을 필요 이상으로 죽게 만들어서 생태계의 균형을 무너뜨린다. 짐승이나 물고기 등을 마구 잡고, 당장 죽이지 않아도 될 수많은 가축을 죽여 냉장고 안에 보관하게 한다. 대부분의 가정집 냉장고에는 양의 차이는 있지만 닭고기, 쇠고기, 돼지고기, 생선, 멸치, 포 등이 쌓여 있다. 이것을 전국적으로, 아니 전 세계적으로 따져 보면 엄청난 양이 될 것이다. 우리는 냉장고를 사용함으로써 애꿎은 생명들을 필요 이상으로 죽여 냉동하는 만행을 습관적으로 저지르고 있는 셈이다.

냉장고를 사용하면서 우리는 많은 음식을 버리게 되었다. 냉장고가 커질수록 먹지 않는 음식도 늘어나기 때문이다. 아까운 전기를 써서 냉동실에 오랫동안 보관한 음식들은 쓰레기통으로 들어가기 일쑤다. 이런 현상은 잘사는 나라뿐 아니라 남태평양이나 아프리카의 가난한 나라에서도 일어나고 있다. 물고기를 시장에 내다 팔며 소박하게 살던 사람들이, 동물들을 필요 이상으로 죽이고, 저마다 자기 것을 챙겨 냉장고에 넣어 두고 혼자만 잘 먹고 잘 살려는 각박한 사람들로 변하고 있는 것이다.

냉장고의 사용은 아동 건강에도 좋지 않은 영향을 미친다. 어느 때고 먹을 수 있는 음식들이 냉장고에 쌓이면서 아이들은 필요 이상의 열량을 섭취하게 되었다. 옛날 아이들은 밥때가 될 때까지 참아야 했지만, 요즘 아이들은 냉장고에서 언제든지 음식을 꺼내어 먹을 수 있으니 참을 이유가 없다. 그래서인지 비만 아동도 기하급수적으로 늘어나고 있다. 아동의 비만은 운동 능력을 떨어뜨리며, 건강을 해친다.

대형 냉장고 문화가 시작된 미국에서는 전체 인구의 3분의 2 정도가 과체중이다. 이는 세계 인구의 5%도 안 되는 미국인들이 세계 자원의 4분의 1을 소비하게 하는 냉장고 문화와 관련이 있다. 장수하는 국민이 많기로 소문난 일본에서 비만 남성의 비중이 지난 20년간 40%나 증가한 것(2002년 일본 정부 발표)이나, 우리나라의 비만 인구가 많이 증가한 것도 냉장고 문화의 확산과 관계가 있다. 국제비만특별조사위원회의 조사 결과에 따르면 통가, 사모아, 나우루에서 비만 인구가 최근 급증하고 있는데, 이 나라들은 모두 최근 몇십 년 사이 냉장고에 오랫동안 보관하는 기름진 서양의 가공식품들이 홍수처럼 밀려들었다는 공통점이 있다.

냉장고에는 가공식품도 많이 보관되는데, 가공식품은 우리 몸에 수많은 질병을 유발한다. 음식 재료를 가공하면, 몸에 좋지 않은 각종 해로운 물질은 첨가되는 반면, 몸에 좋지 않은 물질의 배설을 돕는 섬유질 등은 없어지게 된다. 이러한 가공식품을 계속해서 먹게 되면 그 안에 들어 있는 해로운 성분이 우리 몸에 쌓여 질병을 일으키는 것이다. 이를 뒷받침하는 연구 결과가 있다. 모 대학의 테레사 풍 박사의 연구를 따르면, 냉장고 안에 주로 보관하는 고기와 정제 · 가공된 음식을 먹는 여성은 그렇지 않은 여성에 비해 결장암에 걸릴 위험이 1.5배라고 한다.

이렇듯 냉장고는 우리의 삶과 환경을 위협하고 있다. 냉장고를 많이 사용할수록 자원은 낭비되고, 삶은 각박해진다. 또 냉장고는 우리에게 당장 필요하지 않은 것들을 사게 해서 생태계의 균형을 무너뜨리게 하고, 많은 음식을 버리게 한다. 그리고 우리의 몸을 병들게 한다. 그렇다고 냉장고를 당장에 버리고 사용하지 말자는 것은 아니다. 다만 우리의 삶과 환경을 위협하는 냉장고의 폐해를 인식하고, 우리의 냉장고 사용 습관을 한번쯤 되돌아보자는 것이다.

Ⅲ. 문법

01. 음운

말의 뜻을 구별해 주는 소리의 가장 작은 단위를 말하며, 자음과 모음이 있다.

1. **자음** : 목 안 또는 입 안의 어떤 자리가 완전히 막히거나, 공기가 간신히 지나갈 만큼 좁혀지거나 하여 발음 기관의 장애를 받고 나는 소리

01 _ 국어

소리의 성질 \ 소리나는 위치		입술소리	잇몸소리	센입천장 소리	여린입천장 소리	목청소리
안울림소리	예사소리	ㅂ	ㄷ, ㅅ	ㅈ	ㄱ	ㅎ
	된소리	ㅃ	ㄸ, ㅆ	ㅉ	ㄲ	
	거센소리	ㅍ	ㅌ	ㅊ	ㅋ	
울림소리	비음	ㅁ	ㄴ		ㅇ	
	유음		ㄹ			

2. **모음** : 발음 기관의 아무런 장애를 받지 않고 순조롭게 나는 소리
   1) **단모음** : 아무리 길게 내더라도 그 소리를 발음하는 도중에 입술이나 혀가 고정되어 움직이지 않는 모음
   ㅏ, ㅓ, ㅗ, ㅜ, ㅐ, ㅔ, ㅚ, ㅟ, ㅡ, ㅣ (10개)

   2) **이중 모음** : 소리를 내는 도중에 입술 모양이나 혀의 위치가 달라지는 모음
   ㅑ, ㅕ, ㅛ, ㅠ, ㅒ, ㅖ, ㅘ, ㅙ, ㅝ, ㅞ, ㅢ (11개)

02. 음운의 변동

1. 음절의 끝소리 규칙

우리말에서는 'ㄱ, ㄴ, ㄷ, ㄹ, ㅁ, ㅂ, ㅇ'의 7자음만이 음절의 끝소리로 발음된다. 그 이외의 받침은 이 7자음 중의 하나로 바뀌어 발음됨

예 부엌[부억], 낫[낟], 낮[낟], 밭[받], 꽃[꼳], 숲[숩]

2. 자음 동화

자음과 자음이 만났을 때, 서로 영향을 주고받아 한쪽이나 양쪽 모두 비슷한 소리로 바뀌는 음운의 변동 현상

① 비음화 : 받침 'ㄱ, ㄷ, ㅂ'이 'ㄴ, ㅁ'앞에서 각각 [ㅇ, ㄴ, ㅁ]으로 바뀌는 음운 현상

ㄱ, ㄷ, ㅂ + ㄴ, ㅁ
↓ ↓ ↓
ㅇ, ㄴ, ㅁ

예 국민[궁민], 듣는[든는], 밥물[밤물]

② 유음화 : 'ㄴ'이 'ㄹ' 앞 또는 뒤에서 [ㄹ]로 바뀌는 음운 현상

ㄴ + ㄹ 또는 ㄹ + ㄴ
↓ ↓
ㄹ ㄹ

예 신라[실라], 논리[놀리], 달님[달림]

3. 구개음화

자음 'ㄷ, ㅌ'이 모음 'ㅣ'나 반모음 'ㅣ'를 만나 구개음 'ㅈ, ㅊ'으로 변하는 현상

예 굳이[구지], 해돋이[해도지], 같이[가치], 붙이다[부치다]

4. 음운의 축약

두 음운이 합쳐져서 하나의 음운으로 줄어 소리 나는 현상

ㄱ, ㄷ, ㅂ, ㅈ + ㅎ → [ㅋ, ㅌ, ㅍ, ㅊ]

예 국화[구콰], 맏형[마텽], 굽히다[구피다], 젖히다[저치다]

5. 음운의 탈락

두 음운이 만나면서 한 음운이 사라져 소리 나지 않는 현상

예 솔+나무 → 소나무, 딸+님 → 따님, 바늘+질 → 바느질

6. 된소리 현상

두 개의 안울림소리가 만나면 뒷소리가 된소리로 발음된다.

ㄱ, ㄷ, ㅂ + ㄱ, ㄷ, ㅂ, ㅅ, ㅈ
↓
ㄲ, ㄸ, ㅃ, ㅆ, ㅉ

예 목동[목똥], 앞길[압낄], 먹고[먹꼬]

03. 단어

뜻을 지니고 홀로 설 수 있는 말

예 예지가 책을 읽는다.
→ 예지, 가, 책, 을, 읽는다 (5개의 단어)

1. 단어의 짜임

단일어	하나의 어근으로 이루어진 단어 예 강, 가을, 하늘	
복합어	합성어	어근+어근 예 봄바람, 밤나무, 뛰놀다
	파생어	어근+접사 / 접사+어근 예 맨손, 풋사랑, 일꾼, 덮개

· 어근 : 단어를 형성할 때 실질적인 의미를 나타내는 부분
· 접사 : 어근에 붙어 그 뜻을 제한하는 부분

2. 품사

형태, 기능, 의미 등의 기준에 따라 묶어 놓은 낱말의 무리를 말한다. 우리말에는 명사, 대명사, 수사, 동사, 형용사, 관형사, 부사, 조사, 감탄사의 아홉 개 품사가 있다.

형태	기능	의미	뜻
불변어	체언	명사	사람이나 사물의 이름을 나타냄 예 자동차, 연필, 홍길동, 평화 등
		대명사	사람, 사물, 장소 등의 이름을 대신 나타냄 예 너, 그녀, 이것, 여기 등
		수사	사물의 수량이나 순서를 나타냄 예 하나, 둘, 첫째, 둘째 등
	수식언	관형사	문장에서 체언을 꾸며 주는 말 예 새, 헌, 모든, 무슨 등
		부사	문장에서 용언이나 다른 부사, 문장 전체를 꾸며 주는 말 예 갑자기, 과연, 결코, 매우 등
	관계언	조사	주로 체언 뒤에 붙어서 그 말과 다른 말과의 문법적 관계를 나타내는 말 예 이/가, 을/를, 이다, 에게 등
	독립언	감탄사	말하는 사람의 느낌이나 놀람, 부름, 대답 등을 나타내는 말 예 어머, 와, 네, 아니요 등
가변어	용언	동사	사람이나 사물의 움직임이나 작용을 나타내는 말 예 가다, 먹다, 놀다, 자다 등
		형용사	사람이나 사물의 상태나 성질을 나타내는 말 예 예쁘다, 높다, 슬프다, 덥다 등

04. 문장

생각이나 감정을 완결된 내용으로 표현하는 최소의 언어 형식이다.

1. 문장 성분

주성분	주어	서술의 주체가 되는 성분으로 '누가', '무엇이'에 해당하는 말 예 하늘이 아름답다. 나뭇잎이 떨어진다.
	서술어	주어의 행위나 상태를 나타내는 성분으로 '어찌하다', '어떠하다'에 해당하는 말 예 하늘이 아름답다. 나뭇잎이 떨어진다.
	목적어	서술어의 대상이 되는 성분으로 '누구를', '무엇을'에 해당하는 말 예 나는 선생님을 만났다. 아이가 과자를 먹는다.
	보어	서술어 '되다', '아니다'를 보충하는 성분으로 '무엇이'에 해당하는 말 예 물이 얼음이 되었다. 저것은 수박이 아니다.
부속 성분	관형어	문장에서 체언을 꾸며 주는 성분으로 '어떤', '무슨'에 해당하는 말 예 새 모자가 예쁘구나. 빨간 사과가 있다.
	부사어	문장에서 주로 용언 또는 문장 전체를 꾸며 주는 성분으로 '어떻게', '언제' '어디서'에 해당하는 말 예 기차가 빨리 달린다. 민수가 운동장에서 달린다.
독립 성분	독립어	문장에서 독립적으로 쓰이는 성분으로 부름, 감탄, 응답 등을 나타내는 말 예 성민아, 우리 도서관 갈까? 우와, 이 차 멋있다.

2. 문장의 종류

1) **홑문장** : 주어와 서술어의 관계가 한 번만 나타나는 문장
   예 해가 지다. 새가 울었다.

2) **겹문장** : 주어와 서술어의 관계가 두 번 이상 나타나는 문장
   · 이어진 문장 : 해가 지고 새가 울었다
   봄이 와서 날씨가 따뜻하다.
   · 안은 문장 : 우리는 그가 떠났음을 알았다.
   그는 발에 땀이 나도록 뛰었다.

3. 문장의 종결 표현

1) **평서문** : 말하는 이가 듣는 이에게 특별한 의도를 드러내지 않고 평범하게 진술하는 문장 종결 방식
   예 더워서 못 견디겠다.

2) **의문문** : 말하는 이가 듣는 이에게 문장의 내용을 질문하여 그 대답을 요구하는 문장 종결 방식
   예 너도 지금 떠나겠느냐?

3) **명령문** : 말하는 이가 듣는 이에게 어떤 행동을 하게 하거나, 하지 않도록 요구하는 문장 종결 방식
   예 지체 말고 빨리 가 보아라.

4) **청유문** : 말하는 이가 듣는 이에게 어떤 행동을 함께 하기를 요청하는 문장 종결 방식
   예 시간이 늦었으니 빨리 떠나자.

5) **감탄문** : 말하는 이가 듣는 이를 의식하지 않거나 혼잣말처럼 자기의 느낌을 표현하는 문장 종결 방식
   예 네가 벌써 고등학생이 되는구나.

01 분수와 소수

1. 분수 : 전체에 대한 부분을 나타낸 수

분수 $= \frac{\text{분자}}{\text{분모}}$ 로 표현되고,

곧, 분수 = 분자 ÷ 분모 이다. (단, 분모 $\neq 0$)

2. 소수 : 분자를 분모로 직접 나눈 값으로서, 0.1, 0.2, …, 1.3, 5.23 … 등으로 표현하는 것을 의미하며, 영점 일, 영점 이, …, 일점 삼, 오점 이삼으로 읽는다. '점을 소숫점' 이라 부른다.

예 $\frac{1}{10} = 0.1$, $\frac{2}{10} = 0.2$

3. 분수를 소수로 고치는 방법 : 직접 나누거나, 분모를 10 또는 100 또는 1000으로 만들어서 표현한다.

예 $\frac{2}{5} = \frac{2 \times 2}{5 \times 2} = \frac{4}{10} = 0.4$

4. 소수를 분수로 고치는 방법 : 소숫점 하나당 분모가 10이다. 소숫점 두 개면 분모가 100이다. 이렇게 소숫점 한 개씩 늘어날때마다 분모가 10, 100, 1000 …으로 늘어나고 분자는 그대로 써준다.

예

$0.3 = \frac{3}{10}$, $1.5 = \frac{15}{10}$, $0.12 = \frac{12}{100}$, $3.353 = \frac{3353}{1000}$

01. 다음 나눗셈을 분수로 고치시오.(약분생략)

① $4 \div 2$　② $6 \div 4$

③ $15 \div 2$　④ $12 \div 13$

⑤ $30 \div 100$　⑥ $7 \div 14$

02. 다음 분수를 나눗셈으로 고치시오.

① $\frac{3}{10}$　② $\frac{13}{100}$

③ $\frac{4}{5}$　④ $\frac{1}{20}$

⑤ $\frac{3}{50}$　⑥ $\frac{3}{250}$

03. 다음 분수는 소수로, 소수는 분수로 고치시오.

① $\frac{3}{10}$　② $\frac{7}{10}$

③ $\frac{1}{5}$　④ $\frac{3}{2}$

⑤ $\frac{1}{20}$　⑥ 0.6

⑦ 1.2　⑧ 0.13

⑨ 0.252　⑩ 2.34

02 분수의 사칙연산

1. 분수의 덧셈과 뺄셈 : 분모가 같아야 덧셈과 뺄셈이 가능하며, 분모는 한 번만 쓰고, 계산은 분자끼리한다.

예 $\frac{1}{3} + \frac{2}{3} = \frac{3}{3}$, $\frac{3}{5} - \frac{1}{5} = \frac{2}{5}$

2. 분수의 약분 : 분모와 분자가 같은 수로 나눌 수 있는 것을 말한다. 분수계산의 완성은 약분이 되지 않을 때까지 나누어 주는 것이다.

예 $\frac{4}{6} = \frac{4 \div 2}{6 \div 2} = \frac{2}{3}$

(더이상 같은 수로 약분이 되지 않는다.)

02 _ 수학

3. 분수의 통분 : 분수의 덧셈과 뺄셈에서 분모가 다를시 분모를 같게 만들어주어야 한다. 이것을 통분이라고 한다. 통분이 된 상태에서 분수의 덧셈과 뺄셈을 할 수 있다. 통분은 상대 분모끼리 곱해주거나, 상대적으로 분모가 작은 수가 분모가 큰 수를 맞추어준다.

예 $\frac{1}{2}+\frac{2}{3}$는 분모가 달라 계산 할 수 없다.
따라서 분모 2와 분모 3을 곱해서 새로운 분모로 만든다. $2 \times 3 = 6$이 되며, 이때, 두 분수의 분모는 6이 된다.
$\frac{1}{2}=\frac{1 \times 3}{2 \times 3}=\frac{3}{6}$과 같으며,
$\frac{2}{3}=\frac{2 \times 2}{3 \times 2}=\frac{4}{6}$와 같다.
따라서 $\frac{3}{6}+\frac{4}{6}=\frac{7}{6}$이 된다.

예 $\frac{3}{5}-\frac{3}{10}$에서 분모가 상대적으로 작은 5가 분모가 큰 10으로 맞추어 줄 수 있다.
$\frac{3}{5}=\frac{3 \times 2}{5 \times 2}=\frac{6}{10}$이 되므로, 분모가 같아졌다.
따라서, $\frac{6}{10}-\frac{3}{10}=\frac{3}{10}$이 된다.

4. 분수의 곱셈과 나눗셈 : 분모는 분모끼리, 분자는 분자끼리 곱한다. 계산 전에 미리 분모와 분자끼리 약분한 후에 분모끼리, 분자끼리 곱해주어도 된다. 분수의 나눗셈은 나누기가 곱하기로 바뀌면서 나누는 분수를 역수로 바꾸어 주고 계산한다.
(모든 수는 분모 1이 생략되어 있다.
$1=\frac{1}{1}$, $2=\frac{2}{1}$)

예 $\frac{4}{6} \times \frac{2}{8}=\frac{4 \times 2}{6 \times 8}=\frac{8}{48}=\frac{8 \div 8}{48 \div 8}=\frac{1}{6}$

예 $\frac{3}{6} \times \frac{2}{10}=\frac{3 \div 3}{6 \div 3} \times \frac{2 \div 2}{10 \div 2}=\frac{1}{2} \times \frac{1}{5}$
$=\frac{1 \times 1}{2 \times 5}=\frac{1}{10}$

예 $\frac{3}{5} \div \frac{7}{10}=\frac{3}{5} \times \frac{10}{7}=\frac{3 \times 10}{5 \times 7}=\frac{30}{35}$
$=\frac{30 \div 5}{35 \div 5}=\frac{6}{7}$

01. 다음 분수의 덧셈과 뺄셈을 계산하시오.
(약분은 필수!)

① $\frac{2}{3}+\frac{5}{3}$　② $\frac{1}{6}+\frac{5}{6}$

③ $\frac{3}{10}-\frac{1}{10}$　④ $\frac{4}{9}-\frac{1}{18}$

⑤ $\frac{3}{8}+\frac{1}{4}$　⑥ $\frac{2}{5}-\frac{1}{6}$

⑦ $\frac{9}{10}-\frac{3}{20}$　⑧ $\frac{3}{4}+\frac{5}{12}$

⑨ $\frac{3}{10}+\frac{7}{50}$　⑩ $\frac{3}{25}-\frac{5}{50}$

02. 다음 분수의 곱셈과 나눗셈을 계산하시오.
(약분은 필수!)

① $\frac{3}{4} \times \frac{5}{2}$　② $\frac{6}{7} \div \frac{3}{14}$

③ $\frac{1}{10} \times \frac{5}{3}$　④ $\frac{5}{9} \div \frac{15}{3}$

⑤ $6 \times \frac{4}{9}$　⑥ $3 \div \frac{6}{5}$

⑦ $0 \times \frac{5}{8}$　⑧ $0 \div \frac{3}{5}$

⑨ $\frac{12}{15} \times \frac{5}{6}$　⑩ $\frac{8}{14} \div \frac{8}{14}$

03 약수와 배수

1. 약수 : 어떤 수를 나누어 떨어질 때까지 나눌 수 있는 수

예 $4 = 1 \times 4,\ 2 \times 2,\ 4 \times 1$ → 4는 1과 2와 4로 나눌 때, 나머지가 0이 된다.
따라서 4의 약수는 1, 2, 4가 된다.

2. 배수 : 어떤 자연수의 1배, 2배, 3배, 4배, …가 되는 수

예 3의 배수 : $3 \times 1 = 3,\ 3 \times 2 = 6,$
$\cdots\ 3 \times 100 = 300, \cdots$

01. 다음 수의 배수를 구하시오.(차례대로 5개 까지만)

① 1의 배수

② 2의 배수

③ 3의 배수

④ 4의 배수

⑤ 5의 배수

⑥ 6의 배수

⑦ 7의 배수

⑧ 8의 배수

⑨ 9의 배수

⑩ 10의 배수

02. 다음 수의 약수를 구하시오.

① 1의 약수

② 2의 약수

③ 3의 약수

④ 4의 약수

⑤ 5의 약수

⑥ 6의 약수

⑦ 7의 약수

⑧ 8의 약수

⑨ 9의 약수

⑩ 10의 약수

04 수의 범위

1. 자연수 : 자연적으로 존재하는 수로서, 사물을 셀 때 쓰이는 가장 자연스러운 수

예 1, 2, 3, … 100, 101, …, 십만, …, 억, …조, …, 경, …, 해, …, 자, …, 항하사, …

2. 초과 : 그 수를 제외한 그 수보다 큰 수

예 10초과 : 11, 12, 13, 14, 15, …

3. 미만 : 그 수를 제외한 그 수보다 작은 수

예 10미만 : 9, 8, 7, 6, …

4. 이상 : 그 수를 포함한 그 수보다 큰 수

예 6이상 : 6, 7, 8, 9, 10, …

5. 이하 : 그 수를 포함한 그 수보다 작은 수

예 10이하 : 10, 9, 8, 7, 6, …

01. 다음을 구하시오.

① 3초과 10미만인 자연수

② 5초과 6이하인 자연수

③ 1이상 5미만인 자연수

④ 10이상 15이하인 자연수

02 _ 수학

02. 다음을 구하시오.

① 현이와 다율이가 수영장에 놀러갔다. 경고문에 키가 160cm미만은 수영장에 들어가지 마시오. 라는 팻말이 붙어 있다. 현이는 키가 165cm, 다율이는 160cm이다. 수영장에 들어갈 수 있는 사람은 누구인가?

② 인호와 영화가 놀이동산에 놀러갔다. 기차로 된 놀이기구를 타려는데, 몸무게 50kg이상 75kg미만인 사람만 탈 수 있다는 팻말이 붙어 있다. 인호의 몸무게는 75kg이고, 영화의 몸무게는 53kg이다. 이때, 놀이기구를 탈 수 있는 사람은 누구인가?

05 소인수분해

1. 소수 : 1과 자기 자신의 수만을 약수로 갖는 수
예 2, 3, 5, 7, 11, 13, 17, …

2. 합성수 : 1과 소수를 제외한 수
예 4, 6, 8, 9, 10, …

3. 소인수분해 : 소수의 곱으로 표현하는 것을 소인수분해
예 $8 = 2^3$, $12 = 2^2 \times 3$, $30 = 2 \times 3 \times 5$, …

4. 소인수분해하는 방법

$$60 = 2 \times 30 = 2 \times 2 \times 15 = 2 \times 2 \times 3 \times 5$$

5. 거듭제곱 : 같은 수 또는 문자를 여러 번 곱한 것을 나타낸 것
예 $a \times a = a^2$, $3 \times 3 \times 3 = 3^3$, $2 \times 2 \times 5 = 2^2 \times 5$, …

01. 다음을 거듭제곱으로 표현하시오.

① $a \times a$

② $x \times x \times x$

③ $a \times a \times b \times b$

④ $3 \times 3 \times 3 \times 7$

⑤ $2 \times 3 \times 3$

⑥ $5 \times 5 \times 5 \times 7 \times 7$

02. 다음을 소인수분해 하시오.

① 4 ② 6

③ 8 ④ 12

⑤ 16 ⑥ 18

⑦ 20 ⑧ 24

⑨ 28 ⑩ 32

⑪ 36 ⑫ 40

⑬ 42 ⑭ 45

⑮ 48

06 정수

1. 정수 − {양의 정수(양수) +, 0, 음의 정수(음수) −}

2. 정수의 덧셈과 뺄셈

계산방법 − {부호가 같을 시 숫자끼리 더하고 그 부호를 붙인다. 부호가 다를 시(큰 수 − 작은 수) 하고, 큰 수의 부호를 붙인다.}

예 $-3-5=-8$, $4-7=-3$, $3+8=+11$

3. 정수의 곱셈과 나눗셈

계산방법 − {다른 부호끼리의 곱 또는 나눗셈은 부호가 − 가 된다. 같은 부호끼리의 곱 또는 나눗셈은 부호가 + 가 된다.}

예 $3\times -2=-6$, $-3\times -5=15$, $4\div -2=-2$

4. 괄호가 있는 덧셈과 뺄셈

예 계산방법 - 계산하는 식에서 괄호 앞에 부호가 있으면 곱하기가 숨어있다.

예 $(+3)+(-2)=(+3)+(\times)(-2)$
$=(+3)-2=1$

01. 다음을 계산하시오.

① $-2+5$

② $-4-7$

③ $12-7$

④ $+3-2$

⑤ $6-0$

⑥ $0-5$

02. 다음을 계산하시오.

① $(+2)+(+7)$

② $(-1)+(-5)$

③ $(-4)+(+8)$

④ $(-2)+(+3)$

⑤ $(+11)+(-3)$

⑥ $(+6)+(+1)$

03. 다음을 계산하시오.

① $(+2)-(-7)$

② $(-1)-(+4)$

③ $(-4)-(+2)$

④ $(-5)-(-1)$

⑤ $(+12)-(-10)$

⑥ $(+8)-(-8)$

04. 다음을 계산하시오.

① $(+3)\times(-2)$

② $(-2)\times(+7)$

③ $(-5)\times(-3)$

02 _ 수학

④ $(+9) \times (+3)$

⑤ $(-2) \times (0)$

⑥ $(-10) \times (-3)$

05. 다음을 계산하시오.

① $(+4) \div (-2)$

② $(-10) \div (+5)$

③ $(-6) \div (-3)$

④ $(+9) \div (+9)$

⑤ $(0) \div (5)$

⑥ $(15) \div (-3)$

07 삼각형

1. 세 개의 꼭짓점이 있고, 세 개의 변으로 둘러싸인 평면도형

① 예각 삼각형 : 삼각형 내부의 세 개의 각 모두가 90°보다 작고 0°보다 큰 각

② 직각 삼각형 : 삼각형 내부의 한 개의 각이 90°인 삼각형

③ 둔각 삼각형 : 삼각형 내부의 한 개의 각이 90°보다 크고 180°보다 작은 삼각형

④ 이등변 삼각형 : 두 변의 길이가 같은 삼각형

⑤ 정삼각형 : 세 변의 길이가 같고, 세 개의 각이 같은 삼각형

2. 삼각형 내부의 세 개의 각의 합은 총 180° 이다.

3. 삼각형의 넓이 : (밑변 × 높이) ÷ 2

08 사각형

1. 네 개의 꼭짓점이 있고, 네 개의 선분으로 둘러싸인 평면도형

① 직사각형 : 마주보는 변이 평행하고, 네 개의 각이 직각인 사각형

② 정사각형 : 네 변의 길이가 모두 같고, 네 개의 각이 직각인 사각형

③ 사다리꼴 : 마주보는 한 쌍의 변이 평행한 사각형

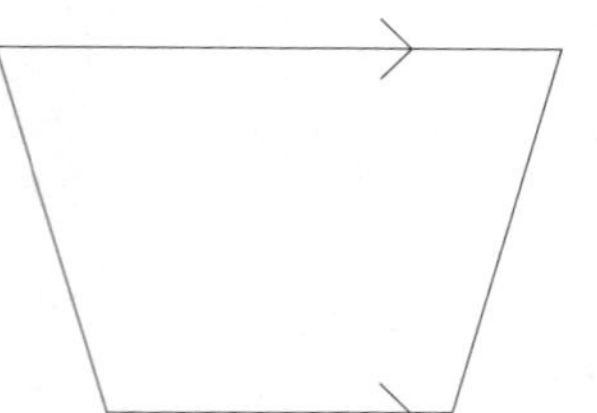

④ 평행사변형 : 마주보는 두 쌍의 변이 평행한 사각형

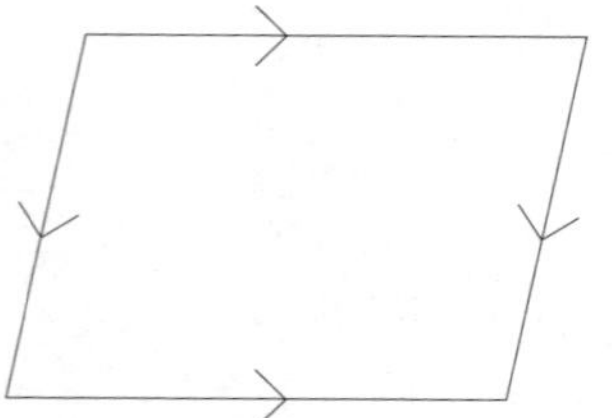

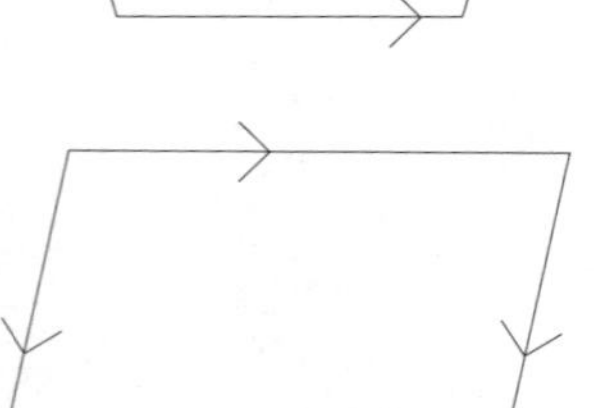

⑤ 마름모 : 네 변의 길이가 같은 사각형

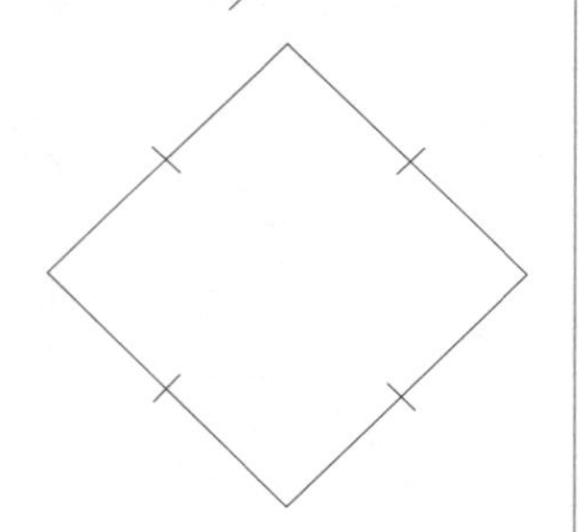

2. 사각형의 넓이

① 직사각형과 정사각형 : 가로 × 세로

② 평행사변형 : 밑변 × 높이

③ 사다리꼴 : (아랫변 + 윗변) × 높이 ÷ 2

④ 마름모 : (두 대각선끼리 곱한 후) ÷ 2

09 원

1. 고정된 한 점으로부터 평면 위의 일정한 거리의 점들을 연결한 도형

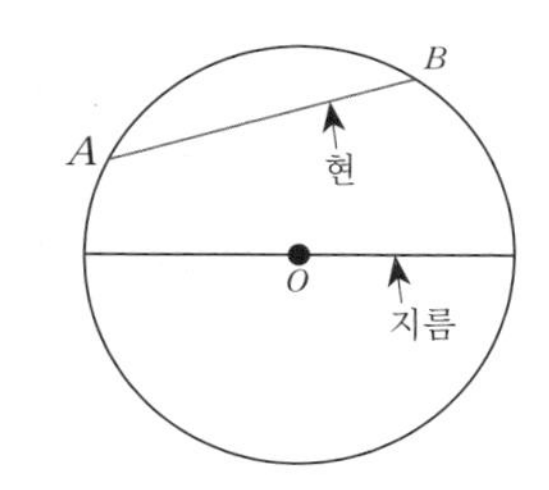

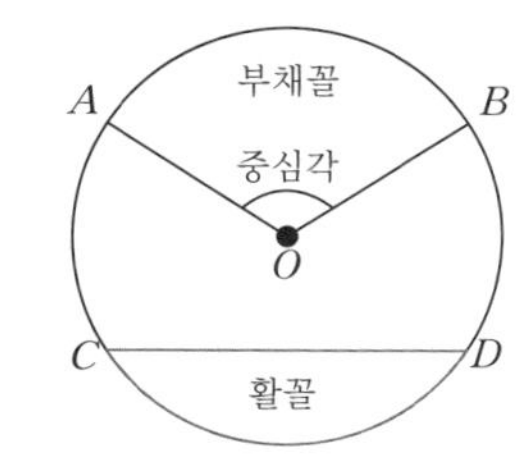

① 중심 : 고정된 한 점
② 반지름 : 원의 중심과 원 위의 점을 연결한 선분
③ 지름 : 원의 중심을 지나서 원의 둘레 위의 두 점을 이은 선분
④ 현 : 원 위의 두 점을 이은 선분
⑤ 호 : 원 둘레의 일부분
⑥ 중심각 : 원의 중심에서 두 반지름 사이에 끼인각
⑦ 부채꼴 : 두 개의 반지름과 하나의 호로 둘러싸인 도형
⑧ 활꼴 : 원 위의 두점을 연결한 선분과 그 두 점을 연결하는 호로 이루어진 도형

2. 원의 둘레 : $2 \times 3.14(\pi) \times$ 반지름

3. 원의 넓이 : 반지름 $\times$ 반지름 $\times 3.14(\pi)$

03 영어

1. 명사 : 사람과 사물의 이름을 나타내는 말

1) 명사의 수

영어에서 명사는 한 개인지, 두 개(여러 개)인지 정확히 구분해야 한다.

① 한 개 : a[자음] / an[모음] + 명사
② 여러 개 : 명사 + -s/es

예
- 책 한 권 : a book
- 책 여러 권 : books
- 사과 하나 : an apple
- 사과 여러 개 : apples

01 직접 해보기(명사의 수 맞추기)

1. 학생 한 명(student) →
2. 연필 한 자루(pencil) →
3. 의자들(chair) →
4. 공들(ball) →
5. 모자들(cap) →

2) 주요 명사

□ **job [직업]**
student(학생) doctor(의사)
teacher(선생님) farmer(농부)

□ **season [계절]**
spring(봄) summer(여름)
fall(가을) winter(겨울)

□ **weather [날씨]**
sunny(화창한) rainy(비오는)
snowy(눈오는) windy(바람부는)

□ **color [색깔]**
red(빨강) blue(파랑)
white(흰) black(검정)

□ **animal [동물]**
cat(고양이) dog(개)
cow(소) horse(말)
lion(사자)

□ **subject [과목]**
English(영어) math(수학)
Korean(국어) history(역사)

□ **food [음식]**
hamburger(햄버거) rice(쌀)
pizza(피자) steak(스테이크)

□ **fruit [과일]**
apple(사과) banana(바나나)
orange(오렌지)

2. 대명사 : 명사를 대신 하는 말

1) 인칭대명사(사람을 나타냄)

주격 (은/는)	소유격 (~의)	목적격 (~을/를)
I 나는	my 나의	me 나를
You 너는	your 너의	you 너를
He 그는	his 그의	him 그를
She 그녀는	her 그녀의	her 그녀를
They 그들은	their 그들의	them 그들을
We 우리는	our 우리의	us 우리를

2) 지시대명사(가리키는 명사)

This	이것, 이 사람
That	저것, 저 사람
It / They	그것 / 그들, 그것들

02 직접 해보기(알맞은 대명사 쓰기)

1. 나는 변호사이다.
   _______ am a lawyer.

2. 너는 의사이다.
   _______ are a doctor.

3. 이것은 너의(당신의) 책이다.
   This is _______ book.

4. 나는 그를 만난다.
   I meet _______.

5. 이것은 그녀의 가방이다.
   This is _______ bag.

6. 저 집은 나의 것이다.
   That house is _______.

7. 이것은 고양이다.
   _______ is a cat.

8. 저것은 개이다.
   _______ is a dog.

3. 형용사, 부사

1) **형용사** : 사람, 사물의 성질, 특징을 설명하며 명사를 꾸며주는 말
- 큰, 빨간, 작은, 부유한, 가난한 등
- ~한, ~ㄴ 으로 해석된다.

2) **부사** : 동사, 형용사, 또 다른 부사, 문장을 수식
- 깨끗이, 적당히, 빨리, 느리게 등
- ~이/ 히/ 리/ 게로 해석된다.

3) 주요 형용사

good [굳]	좋은
bad [배드]	나쁜
fast [패스트]	빠른
slow [슬로우]	느린
smart [스마트] clever [클레버] wise [와이즈]	똑똑한, 영리한
stupid [스투피드]	어리석은
big [빅]	큰
small [스몰]	작은
tall [톨]	키가 큰
many [매니]	(수가) 많은
much [머취]	(양이) 많은
little [리틀]	(양이) 적은 / 작은, 어린
cheap [치잎]	저렴한
expensive [익스펜시브]	비싼
safe [세이프]	안전한
dangerous [덴져러스]	위험한
clean [클린]	깨끗한
dirty [더티]	더러운
hot [핫]	더운, 뜨거운
cold [콜드]	추운, 차가운
alive [어라이브]	살아있는
dead [데드]	죽은
interesting [인터레스팅]	흥미있는
boring [보어링]	지루한
happy [해피]	행복한
sad [쌔드]	슬픈
new [뉴]	새로운
old [올드]	오래된, 늙은
wet [웻]	젖은
dry [드라이]	마른
heavy [헤비]	무거운
light [라잇]	가벼운

03 _ 영어

4) 주요 부사

시간	ago, now, today, tomorrow 등
장소	far, here, near, there 등
정도	little, much, very, well 등
양태	easily, quickly, slowly 등
횟수	often, once, sometimes 등
응답	never, no, not, yes 등

※ 빈도(얼마나 자주) 부사
always[얼웨이즈] 항상 → usually[유절리] 보통, 대개 → often[오픈] 자주, 종종 → sometimes[썸타임즈] 가끔, 때때로 → never[네버] 전혀 ~않는

03 직접 해보기(해석한 다음 밑줄 친 부분이 형용사인지 부사인지 표시)

1. He is <u>handsome</u>.
→

2. She looks <u>nice</u> today.
→

3. She wears a <u>big</u> <u>blue</u> dress.
→

4. She runs <u>fast</u>.
→

5. I am <u>very</u> <u>happy</u>.
→

6. Thank you <u>so</u> <u>much</u>.
→

4. 동사 : 동작이나 상태를 나타내는 말

1) 동사의 종류

be동사 : ~이다, ~있다, ~되다 라는 의미
주어의 인칭, 단복수 여부에 따라 모양이 바뀐다.

주어	be동사 현재	be동사 과거
I	am	was
You/ We/ They	are	were
He/ She/ It	is	was

조동사 : 동사에 의미를 추가하는 단어
예 can[캔] (~할 수 있다), will[윌] (~할 것이다)

일반동사 : be동사, 조동사를 제외한 모든 동사
예 go[고] (가다), make[메익] (만들다)

2) 주요 동사

단어	뜻
become [비컴]	~이 되다
begin [비긴]	시작하다
break [브레이크]	깨뜨리다
bring [브링]	가져오다
build [빌드]	짓다
buy [바이]	사다
choose [추즈]	선택하다
come [컴]	오다
cut [컷]	자르다
do [두]	하다
draw [드로오]	그리다
drink [드링크]	마시다
eat [잇]	먹다
fall [폴]	떨어지다
feel [필]	느끼다
find [파인드]	발견하다
forget [포겟]	잊다
forgive [포기브]	용서하다
get [겟]	얻다
give [기브]	주다
have [해브]	가지다
hear [히어]	듣다
keep [킵]	유지하다
leave [리브]	떠나다
make [메익]	만들다

put [풋]	두다
read [리드]	읽다
run [런]	달리다
say [세이]	말하다
see [씨]	보다
take [테익]	(손으로) 잡다, 쥐다
teach [티취]	가르치다
tell [텔]	말하다
think [씽크]	생각하다

04 직접 해보기(문장 만들기와 문장 해석)

1. 나는 학생이다. (student)
→

2. 나는 쇼핑을 간다. (shopping)
→

3. 나는 장난감을 만들 것이다. (will, toy)
→

4. I like you.
→

5. He cleans his room.
→

5. 전치사 : 명사와 결합하여 의미 덩어리를 만들어내는 말 (전치사+명사 → 전명구)

1) 전치사의 종류

① 시간의 전치사 in/at/on

전치사	쓰임	예
in	월, 연도, 계절, ~시간 후에 아침/오후/저녁	in August, in 2020, in winter in the 21st century, in three days in the morning/afternoon/evening
at	시각, 시점	at 7, at noon/night at the beginning/end of the month
on	날짜, 요일, 특정일	on August 15, on Friday, on Christmas day

② 시점과 기간을 나타내는 전치사

시점	since (~이래로), from(~부터) until/by(~까지), before(~전에), after(~후에)
기간	for/during(~동안), over/through(out) (~동안에, ~내내)

③ 장소의 전치사 in/at/on

전치사	쓰임	예
in	큰 공간 내 장소	in the world/ country, in the city/ town
at	지점, 번지	at the station, at the bus stop
on	표면 위 일직선 상의 지점	on the table, on the 1st floor (level)

④ 위치를 나타내는 전치사

전치사	쓰임	전치사	쓰임
above / over	~ 위에, ~ 이상	below / under	~ 아래에
next to	~ 옆에	between / among	~ 사이에
near	~ 가까이	around	~ 주위에

2) 전치사를 포함한 주요 숙어

□ be afraid of : ~을 두려워하다
be full of : ~로 가득하다
be famous for : ~로 유명하다
be proud of : ~을 자랑스러워하다

□ be absent from : ~에 결석하다
be fond of : ~을 좋아하다
be good at : ~에 능숙하다
be different from : ~와 다르다

03 _ 영어

05 직접 해보기(알맞은 전치사 넣기)

1. I go to school _____ 7 am. 나는 7시에 학교에 간다.

2. I live _____ Seoul. 나는 서울에 산다.

3. There is a cat _____ the table.
   식탁 위에 고양이 한 마리가 있다.

4. She goes shopping _____ her mom.
   그녀는 엄마와 쇼핑을 간다.

5. He is good _____ math. 그는 수학을 잘한다.

6. He arrived _____ Kimpo Airport.
   그는 김포 공항에 도착했다.

7. My father is proud _____ me.
   나의 아버지는 나를 자랑스러워 하신다.

6. 접속사 : 단어와 단어, 문장과 문장을 연결하는 말

1) 접속사의 종류

① **and [앤드]** : 그리고, ~와(과)
You and I are good friends.
너와 나는 좋은 친구이다.

② **or [오어]** : 또는, 아니면
What do you eat, bibimbap or hamburger?
너는 뭘 먹을래, 비빔밥 아니면 햄버거?

③ **but [벗]** : 그러나, 하지만
I like cats, but she doesn't like cats.
나는 고양이를 좋아한다, 하지만 그녀는 고양이를 좋아하지 않는다.

④ **because [비커즈]** : 왜냐하면, ~때문에
Because I was late, she was angry.
내가 늦었기 때문에, 그녀는 화났다.

⑤ **so [쏘]** : 그래서
I wanted to buy a car, so I bought it.
나는 차를 사기를 원했다, 그래서 샀다.

⑥ **If [이프]** : 만약 ~라면
If you study hard, you will pass the exam.
만약 네가 열심히 공부하면, 너는 시험에 합격할 것이다.

2) 시간을 나타내는 접속사

before [비포] : ~전에 ↔ **after [애프터]** : ~후에
Before you have lunch, please wash your hands.
점심먹기 전에, 손을 씻어라.
Let's play soccer, after you finish your homework.
네가 숙제를 끝낸 후에, 축구하자.

06 직접 해보기(알맞은 접속사 넣기)

1. He is kind _____ gentle. (그는 친절하고 점잖다.)

2. I like playing soccer _____ tennis.
   (나는 축구와 테니스 치는 것을 좋아한다.)

3. Jenny is pretty _____ she is not smart.
   (제니는 예쁘지만 똑똑하진 않다.)

4. He is nice _____ everybody likes him.
   (그는 멋져서 모두가 그를 좋아한다.)

5. What do you eat, bibimbap _____ hamburger?
   (너는 뭘 먹을래, 비빔밥 아니면 햄버거?)

01. 내가 사는 세계

1. 지구의 모습

1) **대륙** : 유럽, 아시아, 아프리카, 북아메리카, 남아메리카, 오세아니아, (남극)

2) **해양** : 태평양, 대서양, 인도양, 북극해, 남극해

2. 큰 규모의 위치 표현 : 대륙과 해양, 위도와 경도

1) **위도(위선)** : 적도(위도 0°)를 기준, 가상의 가로선

2) **경도(경선)** : 본초자오선(경도 0°)을 기준, 가상의 세로선

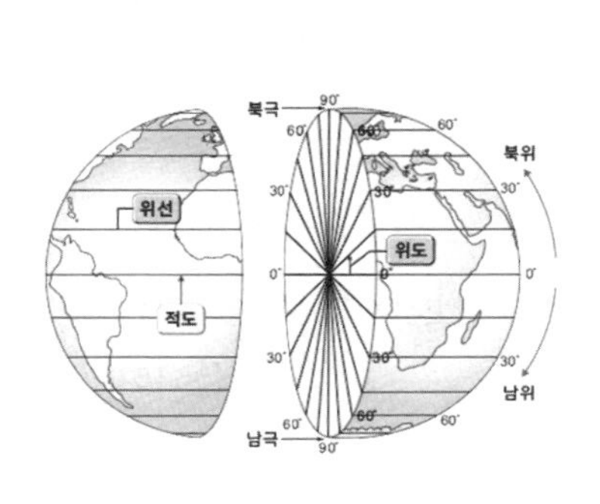

▲ 지구의 위선과 위도

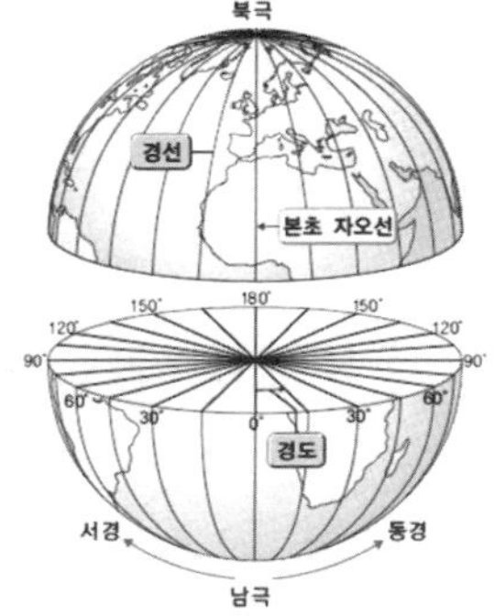

▲ 지구의 경선과 경도

3. 작은 규모의 위치 표현 : 주소, 랜드마크

1) **주소** : 사람이 살아가는 혹은 건물 등이 있는 곳의 행정구역

2) **랜드마크**

① 의미 : 그 지역의 대표적인 장소, 건물 등을 활용한 위치 표현

② 대표 : 파리 "에펠탑", 뉴욕 "자유의 여신상" 등

4. 위도와 경도에 따른 주민 생활

1) **위도 차이** : 기온 차이 발생 ⇒ 생활양식이 다름

2) **경도 차이** : 시간 차이 발생

① 세계 표준시 : 본초자오선(경도0°)을 기준으로 함

② 우리나라 표준시 : 동경 135°를 기준 ⇒ 세계 표준시(영국)보다 9시간 빠름

※ 날짜 변경선 : 동경 180°선과 서경 180°선이 만나는 선 ⇒ 24시간의 시차 발생

02. 자연으로 떠나는 여행

1. 지형 형성 작용

1) **지구 내부의 힘(내적 요인)** : 조륙운동, 조산운동, 화산활동

2) **지구 외부의 힘(외적 요인)** : 풍화, 침식, 운반, 퇴적작용 등

2. 산지 지형 : 농업 및 거주 불리, 지하자원과 삼림자원 풍부, 관광산업 발달 가능

3. 해안 지형

1) **해안 지형의 원인 및 구분**

① 침식(파랑)에 의한 형성 : 해식애, 시스텍, 시아치, 해식동굴 등

② 퇴적(파랑, 조류)에 의한 형성 : 사빈, 사구, 석호, 갯벌 등

2) **주민 생활** : 식량 자원을 쉽게 얻을 수 있음, 무역항으로 성장 가능, 관광산업이 발달할 수 있음

4. 기타 다양한 지형 : 하천 지형, 빙하 지형, 건조 지형 등

03. 자원을 둘러싼 경쟁과 갈등

1. 자원의 의미와 분류

1) **자원의 의미** : 인간 생활에 유용하게 사용되는 모든 것

04 _ 사회

2) 자원의 분류

① 의미에 따른 분류

㉠ 좁은 의미의 자원 : 천연 자원

㉡ 넓은 의미의 자원 : 천연 자원 + 인적 자원 + 문화적 자원

② 재생 가능성에 따른 분류

㉠ 재생(순환) 가능 자원 : 태양열(광), 조력, 풍력, 지열 등

㉡ 재생 불가능한(고갈) 자원 : 석유, 석탄, 천연가스 등

2. 자원의 분포 및 갈등

1) 에너지 자원

① 석탄 : 산업 혁명의 원동력 ⇒ 오늘날 생산 및 소비 감소

② 석유 : 페르시아만 연안(서남아시아)에 집중 매장 ⇒ 이동량 많음

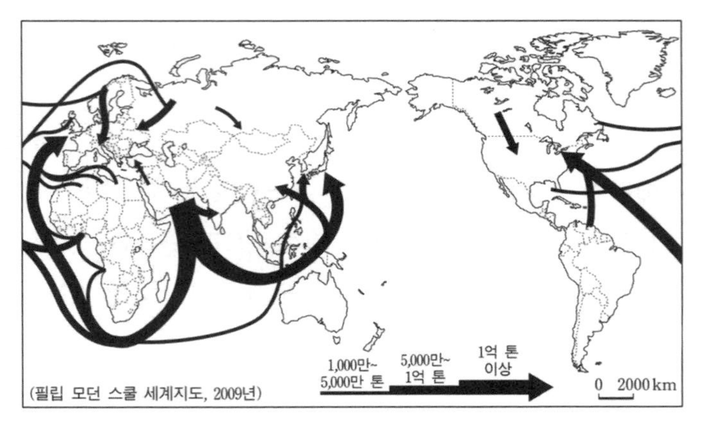

(필립 모던 스쿨 세계지도, 2009년)

2) 식량 자원

① 쌀 : 주로 아시아의 고온다습한 환경에서 생산 및 소비

② 밀 : 재배 지역이 넓고, 소비지역 또한 넓음

③ 옥수수 : 사료용 작물로 많이 사용, 최근 바이오 연료 사용함

3) **대표적 갈등** : 석유 자원, 물 자원 등

3. 지속 가능한 자원 개발(신재생 에너지)

1) **지속 가능한 자원** : 계속 사용하고, 환경 부담을 주지 않는 자원

2) **종류** : 태양광(열), 조력, 풍력, 지열, 바이오 등

04. 개인과 사회생활

1. 사회화와 재사회화

1) 사회화

① 의미 : 자신이 속한 사회의 것을 학습해(내면화) 나가는 과정

② 사회화 기관 : 가정, 또래집단, 학교, 대중매체 등

2) 재사회화

① 의미 : 변화하는 환경에 적응하기 위해 새로운 지식 등을 학습

② 사례 : 노인들의 컴퓨터 및 인터넷 교육 등

2. 사회적 지위와 역할

1) **사회적 지위** : 개인이 사회적 관계 속에서 차지하는 위치

① 종류

㉠ 귀속 지위 : 선천적으로 갖게 되는 지위

㉡ 성취 지위 : 개인의 능력이나 노력으로 얻어지는 지위

② 역할과 역할 갈등

㉠ 역할 : 지위에 따라 기대되는 행동 양식

㉡ 역할 갈등 : 한 개인이 둘 이상의 지위에 따른 역할들의 충돌

05. 문화의 이해

1. 문화의 의미와 속성

1) **문화의 의미** : 인간이 만들어낸 공통의 생활양식

2) 문화의 속성

① 학습성 : 후천적인 학습에 의해 습득되는 것

② 공유성 : 한 사회의 구성원이 공통적으로 가지는 생활양식

③ 축적성 : 학습 능력과 상징체계 등에 의해 경험과 지식이 다음 세대로 축적되고 전승됨

④ 변동성 : 문화는 고정 불변하는 것이 아니라, 시간의 흐름에 따라 계속 변화함

2. 문화를 이해하는 태도
  1) **자문화 중심주의** : 자신의 문화가 가장 우수한 것이라고 생각하는 태도
  2) **문화 사대주의** : 타 문화는 우수, 자신의 문화는 열등하다고 여기는 태도
  3) **문화 상대주의** : 문화를 그 사회가 처한 특수한 환경과 사회적 맥락 속에서 이해하는 태도

06. 정치 생활과 민주주의

1. 정치의 의미와 기능
  1) **정치의 의미**
    ① 좁은 의미 : 정치권력을 획득하고 행사하는 활동
    ② 넓은 의미 : 사회 구성원 간 대립과 갈등을 조정하여 합의를 이루게 하는 과정

  2) **정치의 기능** : 사회 통합 및 질서유지, 사회 문제 해결 등

2. 민주 정치 발전
  1) **고대 아테네의 민주 정치**
    ① 어원 : 민주주의(democracy) : 민중(demos) + 지배(cratia) ⇒ 다수의 사람이 지배
    ② 특징 : 제한된 민주정치, 직접 민주 정치

  2) **근대 민주 정치**
    ① 배경 : 시민 혁명
    ② 특징 : 제한된 민주 정치, 대의 민주 정치

  3) **현대 민주 정치**
    ① 배경 : 노동자, 농민, 여성 등이 참정권을 얻기 위해 노력함
    ② 특징 : 보통 선거 제도 실시, 모든 사회 구성원들이 정치에 참여

3. 민주주의의 이념과 민주 정치의 기본원리
  1) **민주주의의 이념** : 인간의 존엄성 실현

  2) **민주 정치의 기본원리**
    ① 국민 주권의 원리 : 국가 최고의 권력인 주권이 국민에게 있음
    ② 국민 자치의 원리 : 주권을 가진 국민이 스스로 다스려야 한다는 원리
    ③ 입헌주의 원리 : 헌법에 의해 이루어져야 한다는 원리
    ④ 권력분립의 원리 : 권력 기관 상호 간의 견제와 균형

4. 민주 정치와 정부 형태
  1) **정부 형태의 구분**
    ① 대통령제
      ㉠ 의미 : 대통령을 중심으로 국정을 운영하는 정부 형태
      ㉡ 구성 : 선거로 대통령과 국회의원을 뽑고, 대통령이 행정부를 구성
    ② 의원내각제
      ㉠ 의미 : 총리를 중심으로 국정을 운영하는 정부 형태
      ㉡ 구성 : 국민이 의원을 뽑고, 의회 다수당의 대표가 총리가 됨

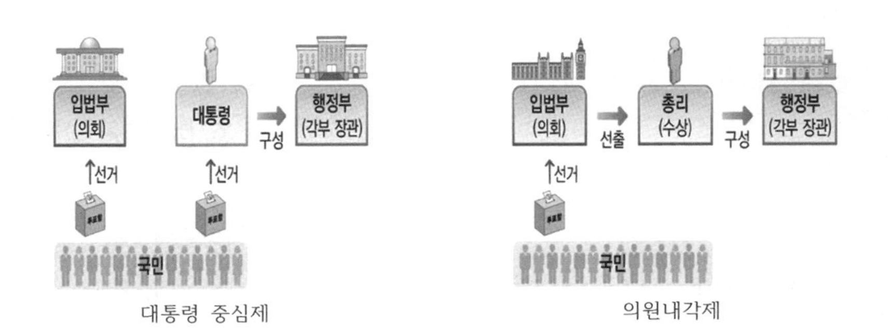

대통령 중심제 의원내각제

  2) **우리나라의 정부 형태** : 대통령제가 기본 형태 + 의원내각제 요소 일부 도입

07. 일상생활과 법

1. 법의 역할과 목적
  1) **법의 역할** : 사회 질서 유지, 분쟁의 해결, 국민의 권리 보호
  2) **법의 목적** : 정의 실현, 공공 복리의 증진

2. 법의 분류
  1) **사법**
    ① 의미 : 개인 간의 사적인 생활 관계를 규율하는 법
    ② 구분 : 민법, 상법

2) **공법**
① 의미 : 개인과 국가 간, 국가 기관 간의 공적인 생활관계를 규율하는 법
② 구분 : 헌법, 형법, 소송법, 행정법 등

3) **사회법**
① 의미 : (사법 + 공법) 개인 간의 관계에 국가가 개입한 법
② 목적 : 사회적 약자 보호 및 인간다운 생활을 보장하기 위해
③ 구분 : 노동법, 경제법, 사회 보장법

3. 재판의 의미와 공정한 재판을 위한 제도

1) **재판의 의미와 종류**
① 의미 : 법을 해석하고 옳고 그름을 판단하는 것
② 재판의 종류 : 민사재판, 형사재판, 선거재판, 헌법재판 등

2) **공정한 재판을 위한 제도**
① 사법권의 독립 : 사법부를 독립시켜 법에 근거한 재판이 이루어지도록 함
② 심급 제도 : 상급 법원에 여러 번 재판을 받게 하는 제도
③ 공개 재판주의 : 재판의 심리와 판결을 공개해야 한다는 원칙
④ 증거 재판주의 : 증거를 통해서만 진행되어야 한다는 원칙

08. 경제생활과 선택

1. 경제활동의 의미와 경제 주체

1) **경제활동** : 재화와 서비스를 생산, 분배, 소비를 하는 활동

2) **경제 주체**
① 가계 : 소비의 주체, 생산 요소(토지, 노동, 자본)를 제공
② 기업 : 생산의 주체, 이윤추구, 임금 · 지대 · 이자를 지불함
③ 정부 : 경제활동 감독, 생산과 소비의 주체, 공공재를 생산

2. 자원의 희소성과 합리적 선택

1) **자원의 희소성** : 인간의 욕구는 무한하지만, 이를 만족시켜줄 자원이 상대적으로 부족한 현상

2) **기회비용과 합리적 선택**
① 기회비용 : 어떤 것을 선택함으로써 포기해야 하는 다른 선택 중 가장 큰 것
② 합리적 선택 : 최소 비용의 최대 편익, 기회비용보다 편익이 더 큰 것을 선택함

09. 시장경제와 가격

1. 시장의 의미와 종류

1) **의미** : 재화나 서비스를 사고팔려고 하는 사람들이 거래하는 곳

2) **시장의 종류**
① 거래 형태 : 눈에 보이는 시장, 눈에 보이지 않는 시장
② 새로운 형태의 시장 등장 : 정보 통신과 인터넷 등장

2. 시장 가격의 결정

1) **수요** : 어떤 상품을 사고자하는 욕구
① 수요량 : 수요자가 상품을 사고자 하는 상품의 양
② 수요법칙 : 가격↑ 수요↓, 가격↓ 수요↑

2) **공급** : 어떤 상품을 팔고자하는 욕구
① 공급량 : 공급자가 상품을 팔고자 하는 상품의 양
② 공급법칙 : 가격↑ 공급↑, 가격↓ 공급↓

3) **시장 가격과 균형 거래량** : 수요량과 공급량이 일치하는 지점

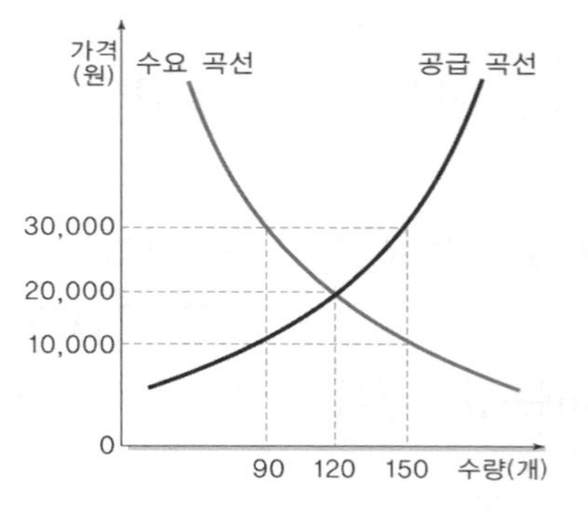

10. 세계 속에 우리나라

1. 영역과 우리나라의 영역

1) **영역** : 한 국가의 주권이 미치는 범위

① 구성 : 영토, 영공, 영해(12해리)

② 배타적 경제 수역(EEZ)

· 범위 : 200해리까지의 해역 중 영해를 제외한 수역

· 특징 : 연안국에 독점적 권리, 다른 국가의 선박·비행기의 자유로운 통항권 인정

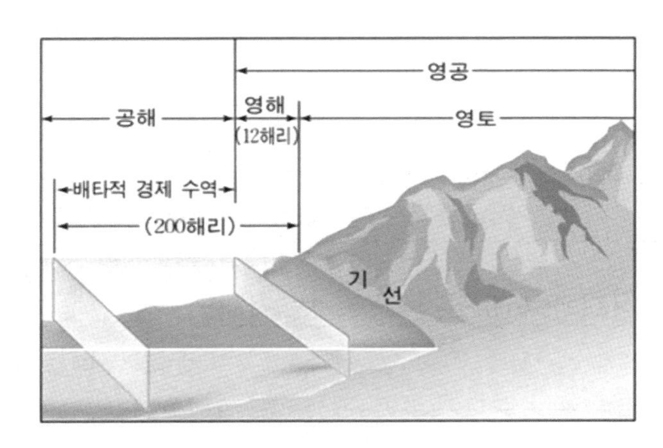

2) **우리나라의 영역**

① 영토 : 한반도와 그 부속 도서

② 영공 : 우리나라 영토와 영해의 수직 상공

③ 영해

· 동해안, 울릉도, 독도, 제주도 : 통상기선 12해리

· 서(황)해안, 남해안 : 직선기선 12해리

· 대한 해협 : 직선기선 3해리

2. 독도

1) **위치** : 우리나라의 가장 동쪽 끝에 위치

2) **자연환경** : 2개의 큰 섬, 화산섬, 해양성 기후

3) **가치**

① 영역적 가치 : 배타적 경제 수역 설정과 관련된 중요한 기점, 주변국의 군사적 동향을 살펴볼 수 있는 군사적 요충지, 동해에서 조업하는 어부들의 임시 대피소

② 경제적 가치 : 조경수역이 형성되어 수산자원이 풍부, 메탄 하이드레이트 매장, 인근 해역에 해양 심층수 등의 자원이 풍부

③ 환경·생태적 가치 : 다양한 동·식물이 서식, 다양한 화산 지형과 지질 경관 보존

05 과 학

기초다지기 한눈에 보기

01. 물질의 상태 변화

1. 물질의 세 가지 상태 : 고체, 액체, 기체

2. 물질의 상태 변화

1) **상태 변화** : 물질의 상태가 고체, 액체, 기체로 서로 변하는 현상

2) **상태 변화의 종류와 예**

① 가열하는 경우

구분	예
융해(고체→액체)	얼음이 녹아 물이 된다.
기화(액체→기체)	풀잎에 맺힌 이슬이 사라진다.
승화(고체→기체)	드라이아이스의 크기가 점점 작아진다.

② 냉각하는 경우

구분	예
응고(액체→고체)	양초의 촛농이 흘러내리다가 굳는다.
액화(기체→액체)	풀잎에 이슬이 맺힌다.
승화(기체→고체)	늦가을 새벽 나뭇잎에 서리가 내린다.

3) **상태 변화와 열에너지**

① 열에너지를 흡수하는 상태 변화 : 융해, 기화, 승화(고체→기체)

② 열에너지를 방출하는 상태 변화 : 응고, 액화, 승화(기체→고체)

02. 물질의 구성

1. 원소 : 더 이상 분해되지 않는 물질을 이루는 기본 성분

1) **원소 기호** : 첫 글자는 대문자로, 두 번째 글자는 소문자로 쓴다.

원소 이름	원소 기호	원소 이름	원소 기호
탄소	C	산소	O
수소	H	질소	N
나트륨	Na	염소	Cl
마그네슘	Mg	구리	Cu
칼슘	Ca	칼륨	K

2. 원자 : 물질을 구성하는 기본 입자

1) **원자의 구조** : 원자핵과 전자로 이루어져 있다.

원자핵	전자
· (+)전하를 띤다. · 원자의 중심에 위치한다. · 움직이지 못한다.	· (−)전하를 띤다. · 원자핵 주위를 자유롭게 원운동 한다.

2) **원자의 특징** : 전기적으로 중성이다.

⇒ 원자핵의 (+)전하량과 전자의 (−)전하량이 같기 때문

03. 보일 · 샤를의 법칙(기체)

1. 보일의 법칙 : 온도가 일정할 때, 압력이 커질수록 기체의 부피는 감소한다.

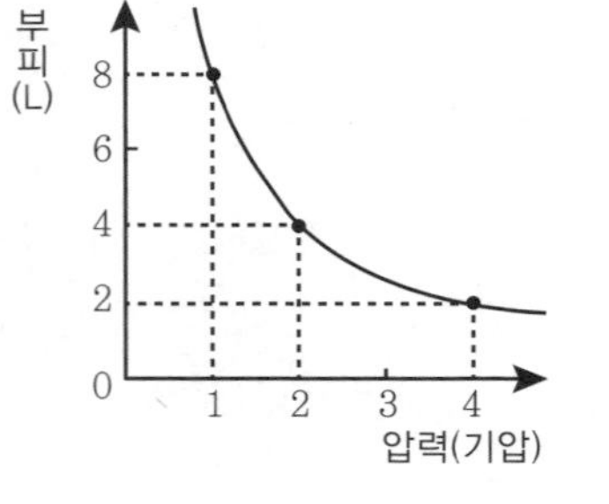

⇒ 온도가 일정할 때,
기체의 부피는 압력에 반비례한다.
압력과 기체의 부피의 곱은 일정하다.

예 높은 산에 올라가면 과자 봉지가 팽팽해진다.
풍선이 하늘 위로 올라갈수록 점점 커진다.

2. 샤를의 법칙 : 압력이 일정할 때, 온도가 높을수록 기체의 부피는 증가한다.

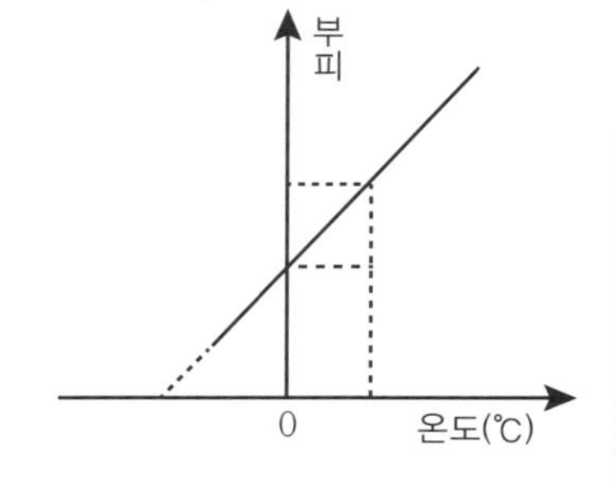

⇒ 압력이 일정할 때,
기체의 부피는 온도가 높을수록
일정한 비율로 증가한다.

예 도로를 달리면 자동차의 타이어가 팽팽해진다.
찌그러진 탁구공을 뜨거운 물에 넣으면 펴진다.

04. 식물과 에너지

1. 광합성 : 식물이 빛에너지와 이산화탄소, 물을 원료로 포도당과 산소를 만드는 반응

이산화탄소 + 물 —(빛에너지)→ 포도당 + 산소

1) **광합성 장소** : 엽록체
2) **광합성이 일어나는 시기** : 빛이 있을 때(낮)
3) **광합성에 영향을 주는 요인** : 빛의 세기, 이산화탄소 농도, 온도

2. 호흡 : 세포에서 포도당을 분해하여 생명 활동에 필요한 에너지를 얻는 반응

포도당 + 산소 ——→ 이산화탄소 + 물 + 에너지

1) **호흡 장소** : 모든 살아 있는 세포(미토콘드리아)
2) **호흡이 일어나는 시기** : 항상

3. 광합성량과 호흡량

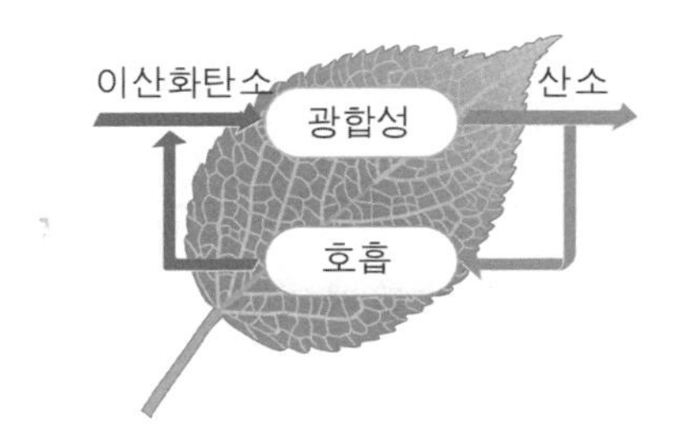

낮	· 빛이 강하여 광합성이 활발하게 일어난다. · 광합성량 〉 호흡량
밤	· 빛이 없어 광합성이 일어나지 않는다. (호흡만 일어남) · 광합성량 〈 호흡량

05. 동물과 에너지

1. 소화

1) **영양소**

① 탄수화물 : 주 에너지원(약 4kcal/g)으로 이용, 남은 것은 지방으로 저장
예 밥, 빵, 감자, 고구마

② 단백질 : 주로 몸을 구성, 에너지원(약 4kcal/g)으로도 이용, 몸의 기능 조절
예 고기, 생선, 달걀, 두부

③ 지방 : 몸을 구성하거나 에너지원(약 9kcal/g)으로 이용
예 버터, 기름

④ 물 : 몸의 가장 많은 비중(약 70%), 영양소와 노폐물 등 운반, 체온 조절

⑤ 바이타민 : 적은 양으로 몸의 기능을 조절, A, B_1, C, D 등
예 채소, 과일

⑥ 무기염류 : 뼈, 이, 혈액 등을 구성, 몸의 기능을 조절, Ca, Na, Fe, K, Mg 등 이온으로 흡수
예 멸치, 버섯, 다시마, 우유

2) **소화과정** : 녹말은 포도당으로, 단백질은 아미노산으로, 지방은 지방산과 모노글리세리드로 분해된다.

① 입 : 침 속의 아밀레이스가 녹말을 엿당으로 분해한다.

② 위 : 위액 속의 펩신이 염산의 도움을 받아 단백질을 분해한다.

③ 소장 : 소화가 종료된다.
· 쓸개즙 : 간에서 생성, 지방의 소화를 돕는다.
· 이자액 : 아밀레이스(녹말 분해), 트립신(단백질 분해), 라이페이스(지방 분해)가 들어 있다.

④ 대장 : 수분 흡수만 일어난다.

3) **영양소의 흡수** : 소장 융털의 모세 혈관과 암죽관으로 흡수되어 심장으로 이동한 후 온몸의 조직 세포로 운반된다.

① 수용성 영양소 : 포도당, 아미노산, 무기염류 ⇒ 융털의 모세 혈관으로 흡수

② 지용성 영양소 : 지방산, 모노글리세리드 ⇒ 융털의 암죽관으로 흡수

2. 순환

1) **심장** : 2심방 2심실

① 심방 : 심장으로 혈액이 들어오는 부위, 정맥과 연결

② 심실 : 심장에서 혈액을 내보내는 부위, 동맥과 연결 (심방보다 벽이 두껍고, 좌심실의 벽이 가장 두껍다)

③ 판막 : 혈액의 역류 방지 (심방과 심실 사이, 심실과 동맥 사이에 존재)

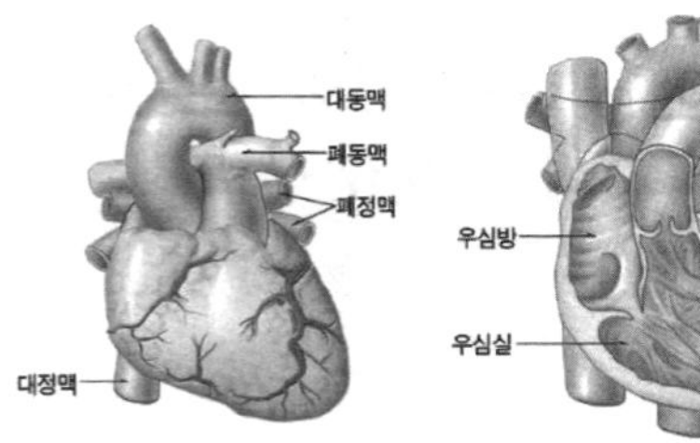

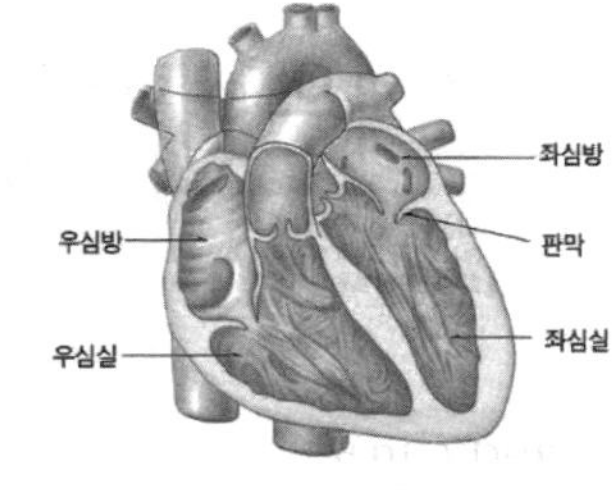

2) **혈관**

① 동맥 : 심장에서 나가는 혈액이 흐르는 혈관

② 정맥 : 심장으로 들어가는 혈액이 흐르는 혈관

③ 모세혈관 : 온몸에 그물처럼 퍼져있는 가느다란 혈관(동맥과 정맥을 연결, 주위의 조직 세포와 물질 및 기체 교환)

3) **혈액 순환**

① 폐순환(= 소순환) : 우심실 → 폐동맥 → 폐의 모세 혈관 → 폐정맥 → 좌심방

② 체순환(= 대순환) : 좌심실 → 대동맥 → 온몸의 모세 혈관 → 대정맥 → 우심방

4) **혈액** : 세포 성분인 혈구(45%)와 액체 성분인 혈장(55%)으로 이루어져 있다.

① 혈구

· 적혈구 : 가운데가 오목한 원반형, 산소 운반

· 백혈구 : 모양이 일정하지 않음, 식균 작용

· 혈소판 : 모양이 일정하지 않음, 혈액 응고 작용

② 혈장 : 물이 주성분(약 90%) ⇒ 체온 조절 영양소, 이산화탄소, 노폐물 등을 운반

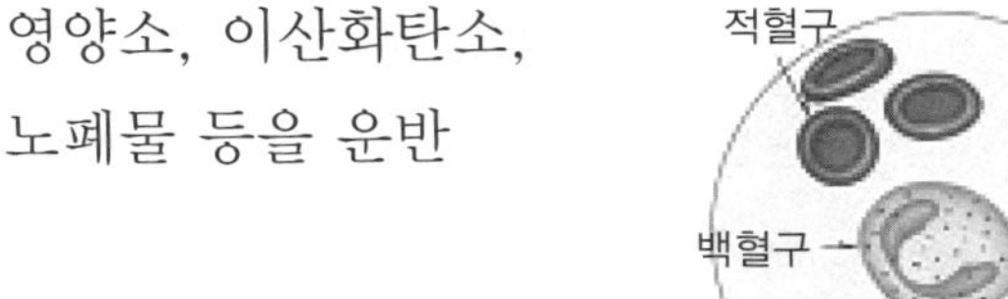

06. 자극과 반응

1. 감각 기관

1) 눈(시각)

① 홍채 : 빛의 양을 조절

② 수정체 : 빛을 굴절

③ 망막 : 상이 맺힘

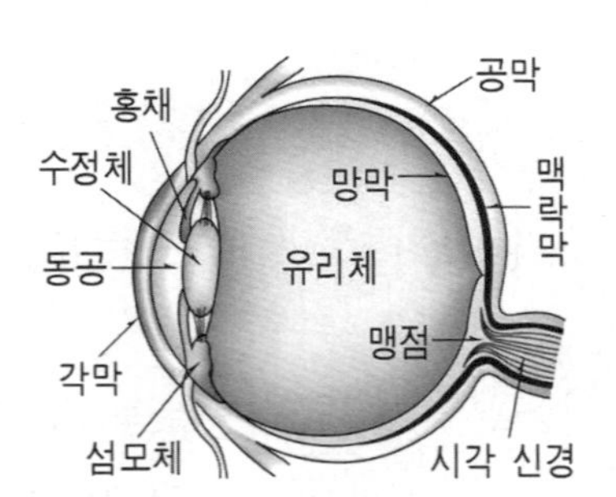

2) **시각 성립 경로** : 빛 → 각막 → 수정체 → 유리체 → 망막의 시각 세포 → 시각 신경 → 뇌

3) **눈의 조절 작용**

① 동공 크기 조절 : 밝을 때(홍채 이완 ⇒ 동공 축소), 어두울 때(홍채 수축 ⇒ 동공 확대)

② 수정체 두께 조절 : 먼 곳을 볼 때(섬모체 이완 ⇒ 수정체 얇아짐), 가까운 곳을 볼 때(섬모체 수축 ⇒ 수정체 두꺼워짐)

4) **귀(청각, 평형 감각)**

① 달팽이관 : 청각 세포 분포

② 반고리관 : 몸의 회전 감지

③ 전정 기관 : 몸의 기울어짐 감지

④ 귀인두관 : 압력 조절

5) **청각의 성립 경로** : 소리 → 귓바퀴 → 외이도 → 고막 → 귓속뼈 → 달팽이관의 청각 세포 → 청각 신경→ 뇌

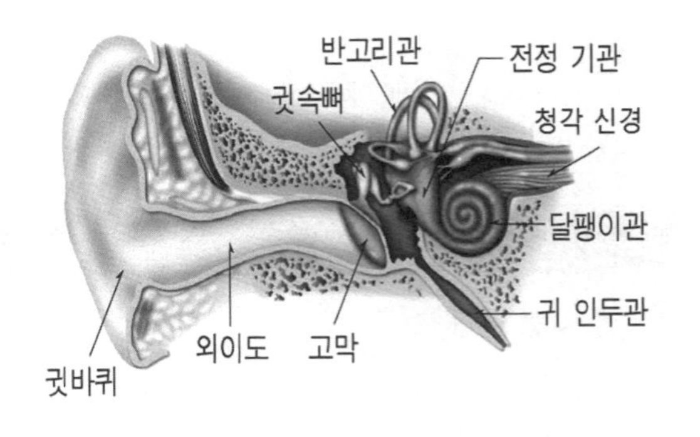

6) **코(후각), 혀(미각)**

① 후각(기체 상태의 화학 물질) : 가장 예민한 감각이지만, 쉽게 피로해진다.
⇒ 후각 세포는 같은 냄새를 계속 맡으면 나중에는 잘 느끼지 못한다.

② 미각(액체 상태의 화학 물질) : 기본 맛은 단맛, 신맛, 짠맛, 쓴맛, 감칠맛

2. 신경계

1) **뉴런** : 신경계를 이루고 있는 신경 세포

① 감각 뉴런 : 감각 기관에서 받아들인 자극을 연합 뉴런으로 전달

② 연합 뉴런 : 뇌와 척수를 이루는 뉴런, 감각 뉴런과 운동 뉴런을 연결

③ 운동 뉴런 : 연합 뉴런의 명령을 반응 기관으로 전달

2) **자극의 전달** : 감각 뉴런 → 연합 뉴런 → 운동 뉴런 순으로 일어난다.

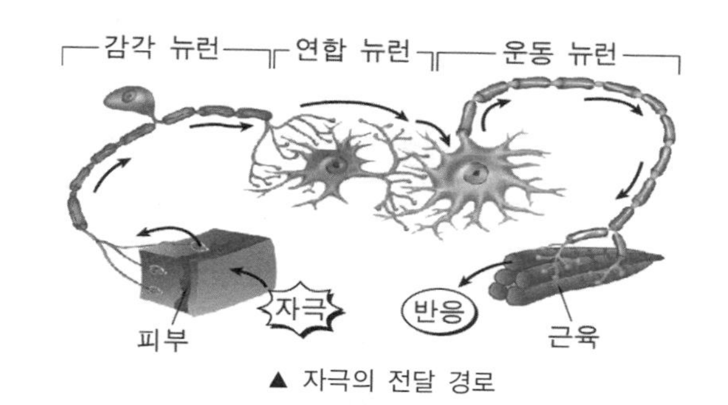

▲ 자극의 전달 경로

3) **중추 신경계**

① 뇌

· 대뇌 : 고등 정신 활동

· 소뇌 : 몸의 균형 유지

· 간뇌 : 체온 유지(항상성)

· 중간뇌 : 눈의 움직임, 동공과 홍채 조절

· 연수 : 심장 박동, 호흡 운동, 소화 운동 조절

② 척수 : 자신의 의지와 관계없이 일어나는 반응의 중추(위험 반사, 무조건 반사 등)

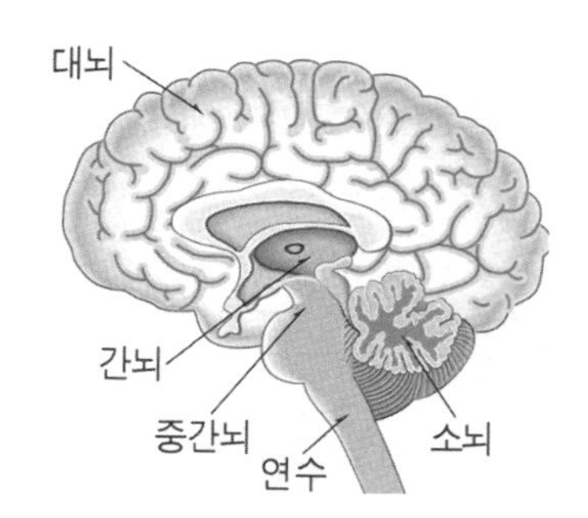

3. 호르몬 : 특정 세포나 기관으로 신호를 전달하여 몸의 기능을 조절하는 물질

예 갑상샘(티록신), 이자(글루카곤, 인슐린), 정소(테스토스테론), 난소(에스트로젠)

1) 내분비샘에서 생성되어 혈액을 통해 운반된다.

2) 특정 세포나 기관에 작용한다.

⇒ 표적 세포(기관)가 있다.

3) 적은 양으로 큰 효과를 나타낸다.

⇒ 결핍증과 과다증이 있다.

4) 척추동물 사이에서는 종 특이성이 없다.

4. 항상성 : 몸 안팎의 환경이 변해도 몸의 상태를 일정하게 유지하는 성질

예 체온 유지, 혈당량 유지, 몸속 수분량 유지

1) **체온 조절**

① 추울 때 : 열 방출량 감소, 열 발생량 증가

② 더울 때 : 열 방출량 증가, 열 발생량 감소

2) **혈당량 조절**

① 혈당량 높을 때 : 이자에서 인슐린 분비 → 혈당량 낮아짐

② 혈당량 낮을 때 : 이자에서 글루카곤 분비 → 혈당량 높아짐

07. 생식과 유전

1. 염색체 : DNA(유전 물질) + 단백질

1) **상동 염색체** : 체세포에서 쌍을 이루고 있는 크기와 모양이 같은 2개의 염색체

⇒ 하나는 어머니에게서, 하나는 아버지에게서 물려받은 것이다.

2) **사람의 염색체** : 사람의 체세포에는 46개(23쌍)의 염색체가 있다.

⇒ 상염색체 44개(22쌍) + 성염색체 2개(1쌍)

① 상염색체 : 남녀에게 공통적으로 들어 있는 염색체

② 성염색체 : 성을 결정하는 염색체 (남자 : XY, 여자 : XX)

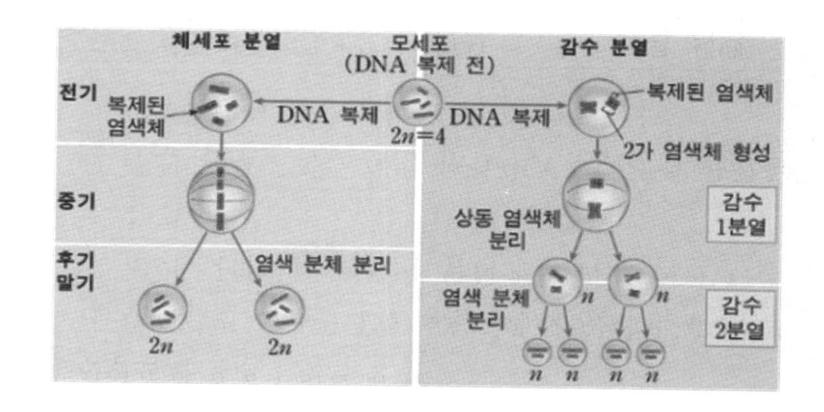

05 _ 과학

2. 멘델의 유전 원리

1) 순종의 둥근 완두(RR)와 순종의 주름진 완두(rr)를 교배했더니 잡종 1대에서 모두 둥근 완두(Rr)만 나왔고, 이를 자가 수분하였더니 잡종 2대에서 둥근 완두와 주름진 완두가 약 3:1의 비로 나왔다.

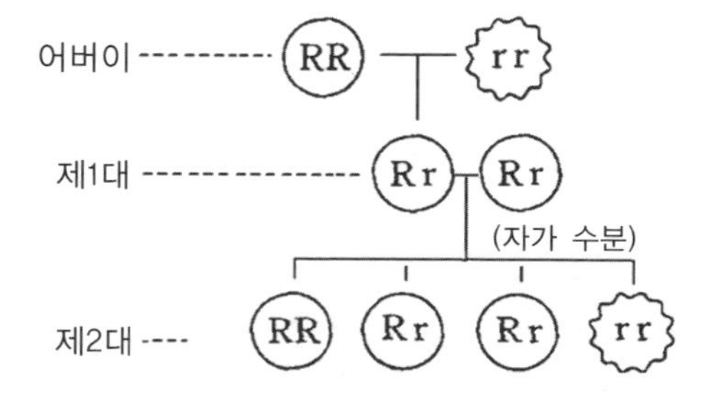

① 우열의 원리 : 대립 형질이 다른 두 순종 개체를 교배하여 얻은 잡종 1대에는 대립 형질 중 한 가지만 나타난다.

② 우열의 결정 : 잡종 1대에서 나타나는 형질을 우성, 나타나지 않는 형질을 열성이라고 한다. (둥근 완두 : 우성, 주름진 완두 : 열성)

2) **우열의 원리가 성립하지 않는 유전**

① 중간 유전 : 대립유전자의 우열 관계가 불완전하여 중간 형질이 표현되는 유전

예 분꽃 실험 : 순종의 붉은색 분꽃(RR)과 순종의 흰색 분꽃(WW)을 교배하면 잡종 1대에서 모두 분홍색 분꽃(RW)만 나타난다.

3. 사람의 유전

1) **사람의 유전 연구가 어려운 이유**

① 한 세대가 길고 자손의 수가 적다.
② 대립 형질이 복잡하고, 환경의 영향을 많이 받는다.
③ 교배 실험이 불가능하다.
⇒ 주로 간접적인 방법을 이용 : 가계도 조사, 쌍둥이 연구, 통계 조사, DNA 분석 등

2) **상염색체 유전** : ABO식 혈액형
유전자 A와 B 사이에는 우열 관계가 없고, 유전자 A와 B는 유전자 O에 대해 우성이다.($A = B > O$)

표현형	A형	B형	AB형	O형
유전자형	AA, AO	BB, BO	AB	OO

3) **성염색체 유전** : 적록 색맹

① 반성유전 : 유전자가 성염색체에 있어서 유전 형질이 나타나는 빈도가 남녀에 따라 차이가 나는 유전 현상

② 우열 관계 : 적록 색맹 유전자(X')는 정상 유전자(X)에 대해 열성이다.($X > X'$)

표현형		정상	적록 색맹
유전자형	남자	XY	$X'Y$
	여자	XX, XX'	$X'X'$

08. 지권의 변화

1. **지구계** : 지권, 수권, 기권, 생물권, 외권

2. **지구 내부 구조** ⇒ 지진파 분석(가장 효과적인 조사 방법)

1) **지각** : 암석으로 되어 있으며, 대륙 지각과 해양 지각으로 나뉜다.

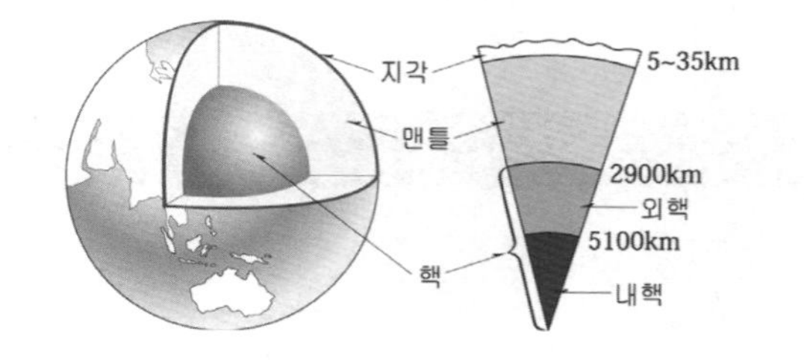

2) **맨틀** : 지구 전체 부피의 약 80%
⇒ 맨틀의 대류에 의해 지진이나 화산활동 등 다양한 지각 변동이 일어남

3) **핵** : 철, 니켈 같은 무거운 금속 물질
① 외핵 : 액체 상태(지진파 S파가 통과 하지 못함)
② 내핵 : 고체 상태

09. 수권과 해수의 순환

1. **수권의 분포** : 해수가 대부분을 차지하고, 담수는 매우 적은 양을 차지한다.

1) **해수** : 바다에 있는 물, 수권의 97% 이상, 짠맛
2) **담수** : 주로 육지에 있는 물, 짠맛이 나지 않음

2. **해수의 수온 분포** : 깊이에 따라 다르다.

1) **영향을 주는 요인** : 태양 에너지, 바람

2) **해수의 층상 구조**

① 혼합층 : 수온이 높고, 바람의 혼합 작용으로 수온이 일정 ⇒ 바람이 강할수록 두께가 두꺼워짐

② 수온 약층 : 깊이가 깊어질수록 수온이 급격하게 낮아짐 ⇒ 대류가 잘 일어나지 않고 안정됨

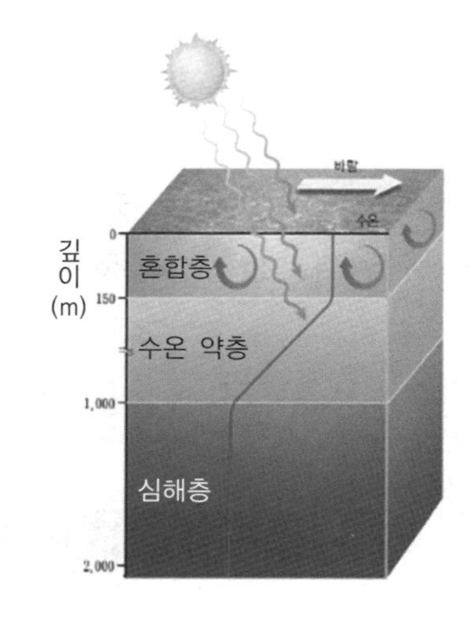

③ 심해층 : 수온이 낮고 일정 ⇒ 위도나 계절에 상관없이 수온이 거의 일정

10. 기권과 날씨

1. **기권의 층상 구조**

1) **대류권** : 공기의 대류가 있고, 기상현상(구름, 비, 눈)이 나타난다.

2) **성층권** : 대류가 일어나지 않아 안정되어, 비행기의 항로로 이용된다. 오존층이 있어 자외선을 흡수한다.

3) **중간권** : 대류가 있지만 수증기가 없어, 기상현상은 나타나지 않는다.

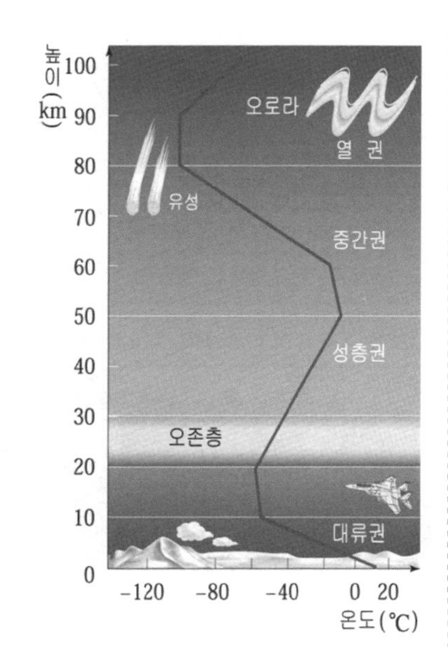

4) **열권** : 공기가 매우 희박하고, 밤낮의 기온 차가 크다. 오로라가 나타난다.

2. **온실 효과와 지구 온난화**

1) **온실 효과** : 지표에서 방출하는 지구 복사 에너지의 일부를 대기가 흡수했다가 지표로 방출하여 지구의 평균 기온이 높게 유지되는 현상

2) **지구 온난화** : 대기 중으로 방출되는 온실 기체의 양이 증가하면서 온실 효과가 강화되어 지구의 평균 기온이 높아지는 현상

① 가장 큰 영향을 미치는 온실 기체 : 이산화탄소(CO_2)

② 영향 : 빙하 융해, 해수면 상승, 육지 면적 감소, 사막 증가, 기상이변 발생, 생태계 변화 등

③ 대책 : 화석 연료 사용 억제, 신재생 에너지 개발, 삼림 면적 확대 등

11. 태양계

1. **지구의 운동**

1) **자전** : 지구가 자전축을 중심으로 하루에 한 바퀴씩 서쪽에서 동쪽으로 도는 운동

예 천체의 일주 운동 : 태양의 일주 운동(낮과 밤의 반복), 달과 별의 일주 운동

2) **공전** : 지구가 태양을 중심으로 일 년에 한 바퀴씩 서쪽에서 동쪽으로 도는 운동

예 태양과 별의 연주 운동, 계절별 별자리 변화

2. **달의 운동**

1) **공전** : 달이 지구를 중심으로 약 한 달에 한 바퀴씩 서쪽에서 동쪽으로 도는 운동

2) **달의 위상 변화** : 약 한 달을 주기로 **삭 → 상현 → 망 → 하현**으로 모양이 변한다.

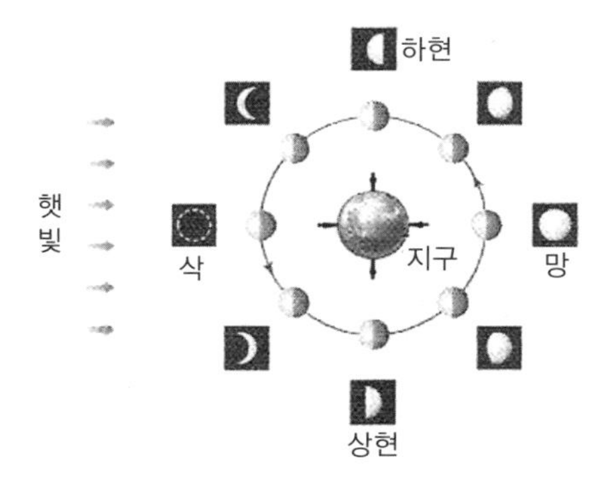

3. **태양** : 태양계에서 유일하게 스스로 빛을 내는 천체로, 지구에서 가장 가까운 별

1) **표면(광구)**

① 흑점 : 광구에 나타나는 검은 점으로, 주변보다 온도가 낮음

② 쌀알무늬 : 광구에 쌀알을 뿌려놓은 것 같은 무늬

2) 대기

① 채층 : 광구 바로 위에 보이는 얇고 붉은 가스층

② 홍염 : 태양 표면에서 고온의 가스 불기둥이 솟아오르는 현상

③ 코로나 : 채층 밖으로 나타나는 청백색의 희미한 가스층

④ 플레어 : 흑점 주변의 폭발로, 많은 양의 에너지가 한꺼번에 방출되는 현상

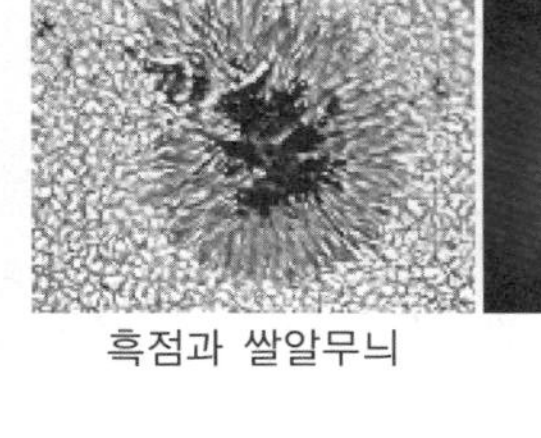
흑점과 쌀알무늬

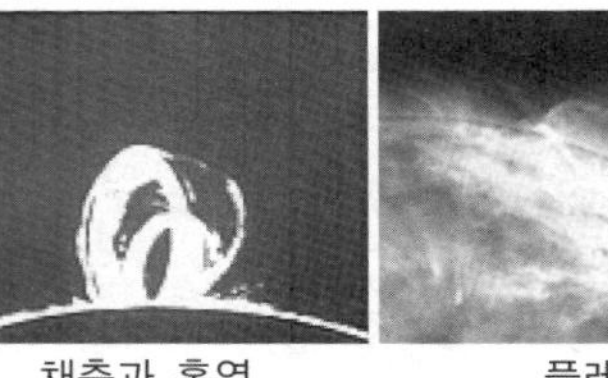
코로나

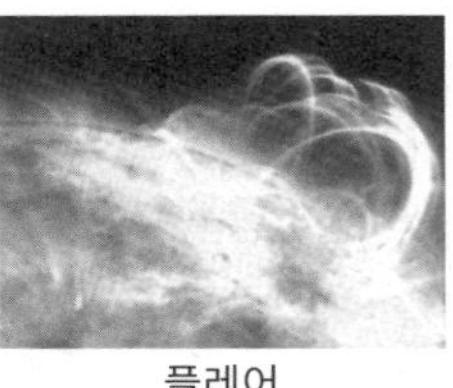
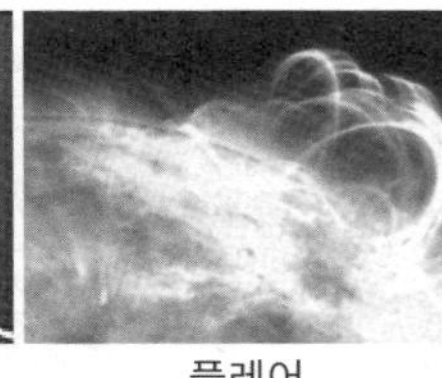
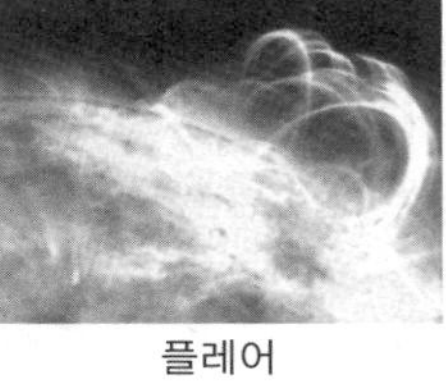
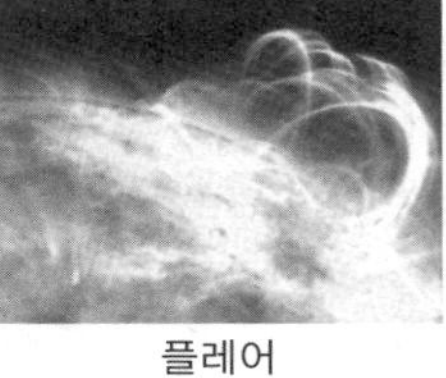
채층과 홍염

플레어

4. **행성의 특징**

1) **수성** : 크기가 가장 작고, 대기가 없어 밤낮의 온도 차가 큼, 운석구덩이 많음

2) **금성** : 두꺼운 이산화탄소 대기가 있어 표면 온도가 매우 높음

3) **화성** : 붉은 색을 띠고, 흰색의 극관과 물이 흘렀던 흔적이 있음

4) **목성** : 크기가 가장 크고, 가로줄무늬와 대적점(붉은 점)이 나타남

5) **토성** : 크기가 두 번째로 크고, 밀도가 가장 작으며, 뚜렷한 고리가 있음

12. 여러 가지 힘

1. **힘** : 물체의 모양이나 운동 상태를 변화시키는 원인

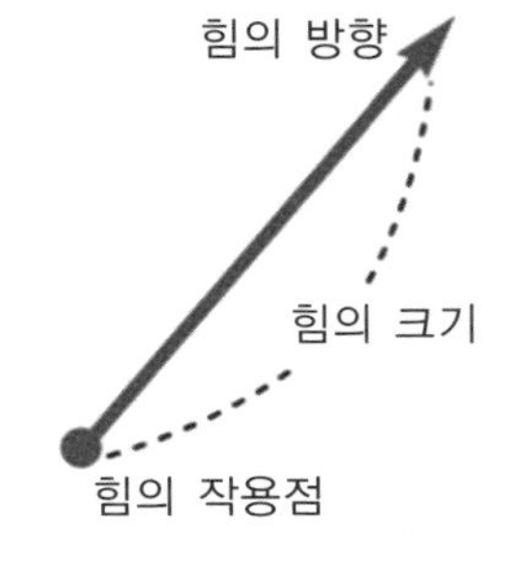

① 힘은 화살표로 표시한다.

② 힘의 3요소 : 힘의 크기, 힘의 방향, 힘의 작용점

③ 힘의 단위 : N(뉴턴)

2. **중력** : 지구가 물체를 당기는 힘

1) **중력의 방향** : 지구 중심 방향(연직 아래 방향)

2) **중력의 크기**

① 물체의 질량이 클수록 중력이 크게 작용한다.

② 지구 중심에 가까울수록 중력이 커진다.

③ 달에서의 중력 : 지구 중력의 1/6

예 고드름이 아래쪽으로 얼어붙는다. 번지점프를 하면 아래로 떨어진다.

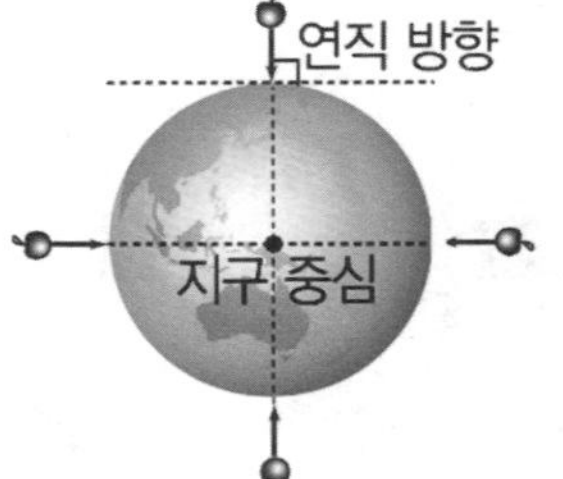

3. **탄성력** : 모양이 변한 물체가 원래 모양으로 되돌아가려는 힘

예 컴퓨터 자판, 트램펄린, 장대높이뛰기, 침대, 자전거 안장 등

4. **마찰력** : 두 물체의 접촉면에서 물체의 운동을 방해하는 힘

1) **마찰력의 방향** : 물체의 운동 방향과 반대 방향

2) **마찰력의 이용**

① 마찰력을 크게 하는 경우 : 등산화 바닥, 자동차 타이어 체인, 사포 등

② 마찰력을 작게 하는 경우 : 미끄럼틀, 스케이트, 기계나 자전거의 체인에 윤활유 사용 등

5. **부력** : 액체나 기체가 물체를 밀어 올리는 힘

1) **부력의 방향** : 중력과 반대 방향인 위쪽

부력 〉 중력	부력 = 중력	부력 〈 중력
물속의 물체가 위로 떠오른다.	물 위나 물속에 물체가 떠 있다.	물체가 가라앉는다.

2) **부력의 이용**

① 액체 속에서 받는 부력 : 구명조끼, 튜브, 물에 뜨는 배, 물에 잠기는 잠수함 등

② 기체 속에서 받는 부력 : 열기구, 비행선, 헬륨을 채운 풍선 등

13. 운동과 에너지

1. **등속 운동** : 시간에 따라 속력이 일정한 운동
   예 에스컬레이터, 스키 리프트, 무빙워크, 컨베이어 등

2. **자유 낙하 운동** : 공기 저항이 없을 때, 정지해 있던 물체가 중력만 받으면서 아래로 떨어지는 운동
   1) **진공 상태일 때** : 질량이 다른 두 물체를 같은 높이에서 동시에 떨어뜨리면 동시에 바닥에 도착한다.

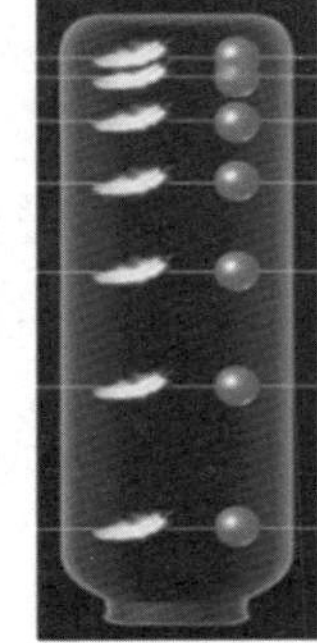
진공

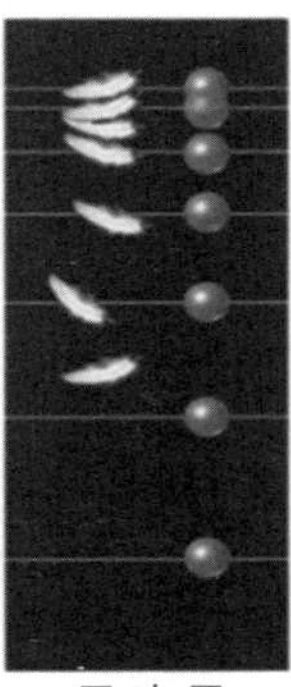
공기 중

   2) **공기 저항이 있을 때** : 물체의 크기와 모양에 따라 공기 저항이 다르게 작용하므로, 같은 높이에서 동시에 떨어뜨려도 동시에 바닥에 도착하지 않는다.

3. **위치 에너지** : 높은 곳에 있는 물체가 가지는 에너지

4. **운동 에너지** : 운동하는 물체가 가지는 에너지

5. **역학적 에너지** : 물체가 가진 중력에 의한 위치 에너지와 운동 에너지의 합
   1) **물체가 자유 낙하할 때** : 위치 에너지 감소, 운동 에너지 증가
   2) **물체를 던져 올렸을 때** : 위치 에너지 증가, 운동 에너지 감소
   3) **역학적 에너지 보존 법칙** : 공기 저항이나 마찰이 없을 때, 운동하는 물체의 역학적 에너지는 항상 일정하게 보존된다.

역학적 에너지 = 위치 에너지 + 운동 에너지 = 일정

6. **여러 가지 운동의 역학적 에너지 보존**
   1) **롤러코스터 운동**
      ① A점에서 위치 에너지 최대
      ② A → C : 위치 에너지가 운동 에너지로 전환
      ③ C점에서 운동 에너지 최대, 위치 에너지 최소
      ④ C → D : 운동 에너지가 위치 에너지로 전환

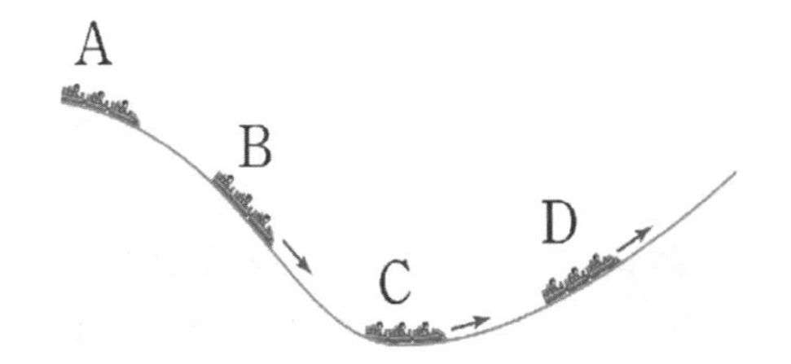

   2) **진자 운동**
      ① A, B점에서 위치 에너지 최대, 운동 에너지 0
      ② A → O : 위치 에너지가 운동 에너지로 전환
      ③ O점에서 운동 에너지 최대
      ④ O → B : 운동 에너지가 위치 에너지로 전환

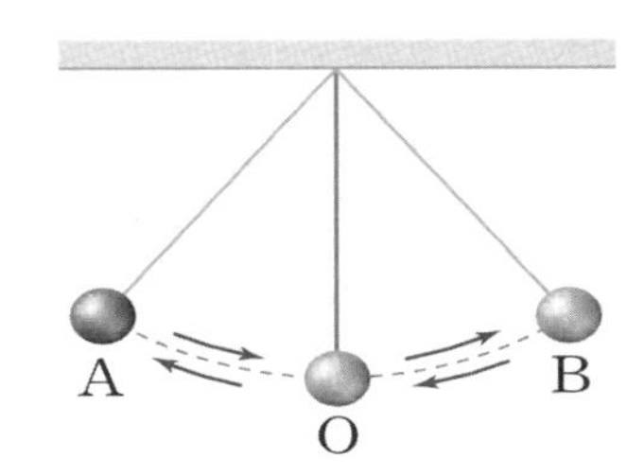

06 한국사

기초다지기 한눈에 보기

01. 선사 문화와 여러 나라의 성장

1. 선사 시대의 생활

1) 구석기 시대
- ① 도구 : 뗀석기(주먹도끼)
- ② 사회 : 무리지어 이동 생활(동굴, 막집)

2) 신석기 시대
- ① 도구 : 간석기, 빗살무늬 토기
- ② 경제 : 농경과 목축 시작
- ③ 사회 : 정착 생활(움집)

2. 고조선의 성립과 여러 나라의 성장

1) 청동기 시대
- ① 도구 : 비파형동검, 반달돌칼, 미송리식 토기
- ② 경제 : 농경과 목축 확대, 벼농사 실시
- ③ 사회 : 사유 재산과 계급 발생, 국가 성립
- ④ 무덤 : 고인돌(지배층의 무덤), 돌널무덤

2) 고조선의 성립과 발전
- ① 청동기 문화 바탕, 우리나라 최초의 국가
- ② 단군신화 : 제정일치(단군왕검), 농경 사회
- ③ 사회 : 8조법 중 3개 조항이 전해짐

3) 여러 나라의 형성과 발전
- ① 부여 : 영고, 순장
- ② 고구려 : 동맹, 서옥제
- ③ 옥저 : 민며느리제, 가족 공동 무덤
- ④ 동예 : 무천, 족외혼, 책화
- ⑤ 삼한 : 제정분리(소도-천군), 철 생산

02. 삼국의 성립과 발전

1. 삼국의 형성과 발전

1) 고구려의 성립과 발전
- ① 광개토대왕 : 영토 확장, 신라에 침입한 왜 격퇴
- ② 장수왕(5세기) : 남진 정책, 평양 천도, 충주 고구려비

2) 백제의 성립과 발전
- ① 근초고왕(4세기) : 마한 전 지역 확보, 고구려 공격
- ② 무령왕 : 22담로에 왕족 파견
- ③ 성왕 : 사비(부여) 천도, 국호를 '남부여'로 변경

3) 신라의 성립과 발전
- ① 법흥왕 : 율령 반포, 불교 공인, 금관가야 병합
- ② 진흥왕(6세기) : 한강 유역 장악, 대가야 병합
  → 단양 신라 적성비와 순수비 건립

4) 가야의 성립과 발전
- ① 건국 : 변한 지역에서 성장
- ② 발전 : 농경 문화 발달, 철 생산

2. 삼국의 사회

1) 귀족 회의 : 제가회의, 정사암회의, 화백회의
2) 고구려 : 진대법
3) 신라 : 골품제도, 화랑도

03. 통일신라와 발해의 발전

1. 고구려의 대외 항쟁과 신라의 삼국 통일

1) 고구려와 수 · 당의 전쟁
- ① 살수대첩(612) : 살수에서 을지문덕이 승리
- ② 안시성 전투(645) : 당의 침략 → 안시성에서 격퇴

2) 신라의 삼국 통일 : 나 · 당 동맹 결성 → 백제 멸망 → 고구려의 멸망 → 나 · 당 전쟁(매소성 · 기벌포 전투)

2. 통일 신라의 성립과 발전

1) 통일 신라의 성립과 제도 정비
- ① 전제 왕권 확립(신문왕) : 9주 5소경, 국학 설립
- ② 통일 신라의 대외 교류 : 울산항(국제 무역항), 청해진(장보고)
- ③ 민정 문서 : 신라 촌락 문서, 토지 · 인구 등 조사

2) 통일 신라의 문화
- ① 불교의 발달 : 원효(불교의 대중화), 혜초, 불국사 3층 석탑, 석굴암(본존불상)
- ② 독서삼품과 : 학문 성적에 따라 관리 선발(실패)

3. 발해의 성립과 발전

1) **건국(698)** : 대조영이 동모산에서 건국

2) **고구려 계승 의식** : 일본에 보낸 외교 문서에 '고려' 국호 사용, 고구려 문화 계승(온돌, 고분)

3) **당으로부터 '해동성국'으로 불림**

4. 신라 사회의 동요와 후삼국의 성립

1) **신라 사회의 동요**
① 왕위 쟁탈전 심화, 지방 세력(호족) 성장
② 선종의 확산과 풍수지리설의 유행

2) **후삼국 시대의 성립**
① 후백제 건국(900) : 견훤, 완산주(전주)에 건국
② 후고구려 건국(901) : 궁예, 송악(개성)에 건국

04. 고려의 성립과 변천

1. 고려의 건국과 귀족 사회의 형성

1) **고려의 건국**
① 태조(왕건) : 북진 정책, 혼인 정책, 기인제도
② 광종 : 과거 제도 시행, 노비안검법 시행
③ 성종 : 유교를 통치 이념으로 확립, 국자감 설치

2) **통치 체제의 정비** : 2성 6부(중앙), 5도 양계(지방)

2. 고려 전기의 대외 관계

1) **거란의 침입과 격퇴**
① 1차 침입 : 서희, 외교 담판 → 강동 6주 회복
② 3차 침입 : 강감찬의 귀주대첩, 천리장성 축조

2) **여진 성장** : 별무반 → 여진 정벌 → 동북 9성 축조

3. 문벌귀족 사회의 동요와 무신정변

1) **이자겸의 난** : 문벌 귀족 사회의 동요

2) **묘청의 서경 천도 운동(1135)** : 서경 천도, 금 정벌

3) **무신 정변(1170)**
① 배경 : 문신 위주의 정치와 무신 차별 대우
② 최충헌 집권 이후 최씨 무신 정권의 성립

4. 대몽 항쟁과 반원 정책

1) **몽골과의 항쟁** : 강화도 천도, 팔만 대장경 조판, 황룡사 9층 목탑 소실, 삼별초의 항쟁

2) **원의 내정 간섭과 권문세족의 등장**
① 원의 내정 간섭 : 정동행성
② 권문세족의 등장 : 친원파, 음서, 대농장 경영
③ 공민왕의 개혁 정치
㉠ 반원 정책 : 친원파 숙청, 쌍성총관부 탈환
㉡ 왕권 강화 정책 : 전민변정도감 설치

5. 고려 문화의 발달

1) **역사서**
① 김부식의 「삼국사기」 : 현존 최고 사서
② 일연의 「삼국유사」 : 최초로 단군신화 기록

2) **직지심체요절** : 세계에서 가장 오래된 금속 활자본

3) **고려 청자** : 상감청자, 고려의 귀족 문화

05. 조선의 성립과 발전

1. 조선의 건국과 통치 체제 정비

1) **국가 기틀의 확립**
① 태종 : 6조 직계제, 사병 혁파, 호패법
② 세종 : 집현전 설치, 훈민정음 창제, 4군 6진 개척
③ 성종 : 경국대전 완성

2) **통치 체제의 정비**
① 중앙 정치 제도
㉠ 의정부(국정 총괄), 6조(행정 실무)
㉡ 삼사 : 사헌부, 사간원, 홍문관
㉢ 승정원(왕명 출납), 의금부(왕의 사법 기구)
㉣ 춘추관(역사 편찬), 성균관(최고 교육 기관)
② 지방 행정 제도 : 8도, 모든 군·현에 지방관 파견

2. 조선 전기의 사회와 문화

1) **신분 구조** : 양반, 중인, 상민, 천민(노비, 백정 등)
2) **과거제** : 문과, 무과, 잡과(기술관 선발)
3) **교육 제도** : 서당, 향교(지방), 성균관

3. 사림의 성장과 성리학적 사회 질서의 확립

1) 사림의 성장

① 훈구와 사림
㉠ 훈구 : 중앙 집권 체제 추구
㉡ 사림 : 향촌 자치, 왕도 정치 추구
② 사화 : 훈구와 사림의 대립, 사림이 피해를 입은 사건
③ 사림의 세력 기반 : 서원과 향약

2) 붕당의 출현 : 이조 전랑의 임명 문제를 놓고 사림 간 갈등 심화 → 서인과 동인으로 나뉨

3) 성리학적 사회 질서의 확산

① 서원 : 선현 제사, 지방 양반 자제 교육, 성리학 연구
② 향약의 발달

4. 왜란과 호란의 극복

1) 임진왜란(1592)

① 전개 : 왜군의 침략, 수군(이순신)과 의병의 활약
② 왜란의 영향 : 명의 쇠퇴, 여진족 성장(후금 건국)

2) 광해군의 중립 외교 : 명과 후금 사이에 중립 외교

3) 병자호란(1636) : 청의 군신 관계 요구 → 남한산성 항전 → 삼전도에서 굴욕적인 강화 → 군신 관계 체결

06. 조선 사회의 변동

1. 제도 개혁과 조선 후기의 정치 변화

1) 통치 체제의 개편

① 비변사 : 임진왜란 이후 최고 기구로 변화
② 조세 제도 개혁
㉠ 영정법 : 풍흉에 관계없이 전세를 1결당 쌀 4두 징수
㉡ 대동법 : 토지를 기준으로 쌀, 옷감, 동전 등 징수
㉢ 균역법 : 1년에 부담하는 군포를 2필에서 1필로 줄임

2) 붕당 정치의 변화와 세도 정치의 전개

① 붕당 정치의 변질 : 일당전제화
② 탕평 정치의 시행
㉠ 영조 : 탕평책, 균역법 시행, 속대전 편찬
㉡ 정조 : 탕평책, 규장각, 장용영, 화성 축조
③ 세도 정치의 전개
㉠ 특정 가문이 권력 독점, 삼정의 문란
㉡ 홍경래의 난(1811) : 평안도 지역에 대한 차별 대우
㉢ 임술 농민 봉기(1862) : 진주 → 전국

2. 사회 개혁론의 등장

1) 실학의 대두

① 중농 학파 : 토지 제도 개혁
㉠ 이익 : 한전론, 「성호사설」
㉡ 정약용 : 여전론, 「목민심서」
② 중상 학파(북학파) : 상공업 중심 개혁, 청 문물 수용
㉠ 박지원 : 「열하일기」, 「양반전」, 「허생전」
㉡ 박제가 : 수레와 선박의 이용, 소비 권장

3. 조선 후기의 문화

1) 국학 연구 : 「동사강목」(안정복), 「발해고」(유득공), 「대동여지도」(김정호)

2) 문화와 예술의 새 경향

① 서민 문화 : 한글소설, 사설시조, 판소리, 탈춤, 민화
② 회화 : 진경 산수화(정선), 풍속화(김홍도, 신윤복)

4. 사회 변혁의 움직임

1) 천주교 : 제사 거부, 평등 사상 → 정부의 탄압
2) 동학 : 최제우, 인내천, 보국안민 → 정부의 탄압

07. 근대 국가 수립 운동

1. 흥선대원군의 집권 및 문호 개방

1) 흥선대원군의 내정 개혁

① 삼정의 문란 시정 : 호포제, 사창제
② 서원 철폐 → 양반 유생층 반발
③ 경복궁 중건 : 원납전 징수, 당백전 발행

2) 흥선대원군의 통상 수교 거부 정책 : 병인양요(프랑스), 신미양요(미국), 척화비 건립

3) **강화도 조약(1876)**
① 배경 : 통상 개화론 대두, 운요호 사건
② 내용 : 3개 항구 개항, 영사재판권(치외법권)
③ 성격 : 최초의 근대적 조약, 불평등 조약

2. 근대적 개혁의 추진과 동학 농민 운동의 전개
1) **개화 정책의 추진** : 수신사 파견, 별기군 창설

2) **임오군란과 갑신정변**
① 임오군란(1882)
㉠ 발단 : 구식 군인들에 대한 차별 대우
㉡ 결과 : 청의 내정 간섭 심화
② 갑신정변(1884)
㉠ 전개 : 김옥균(급진 개화파), 우정국, 3일 만에 실패
㉡ 의의 : 최초의 정치 개혁 운동(입헌 군주제)

3) **동학 농민 운동의 전개**
① 고부 농민 봉기(전봉준) → 전주성 점령, 전주 화약
② 집강소(농민 자치 기구)
③ 의의 : 반봉건 · 반외세 민족 운동

4) **근대적 개혁의 추진**
① 갑오개혁(1894) : 신분제 폐지, 과부의 재가 허용
② 을미사변(1895) : 일본이 명성황후 시해
③ 을미개혁(1895) : 단발령, 태양력, 종두법 실시
④ 아관파천(1896) : 고종이 러시아 공사관으로 피신

3. 독립협회와 대한제국
1) **독립협회**
① 조직 : 서재필 등 개화파 지식인
② 활동 : 독립신문, 독립문, 만민공동회, 의회 설립 운동

2) **대한제국(1897)**
① 대한제국 수립 : 대한국 국제 반포
② 광무개혁 : 구본신참, 지계 발급

4. 일제의 국권 침탈과 국권 수호 운동
1) **일제의 국권 침탈**
① 을사늑약(1905) : 외교권 박탈, 통감부 설치
② 한국 병합 조약(1910)

2) **항일 의병 운동 전개** : 을미의병, 을사의병, 정미의병

3) **애국 계몽 운동의 전개**
① 보안회 : 일제의 황무지 개간권 요구 철회
② 신민회(1907) : 대성학교, 신흥 강습소, 105인 사건

4) **국채 보상 운동(1907)** : 일본에 진 빚을 갚아 국권 회복 추구

08. 민족 운동의 전개

1. 일제의 식민지 지배 정책
1) **1910년대 통치 방식**
① 무단 통치(헌병 경찰 통치)
② 토지 조사 사업, 회사령(허가제)

2) **1920년대 통치 방식**
① 문화 통치(민족 분열 통치)
② 산미 증식 계획 : 증산량 〈 수탈량

3) **1930년대 이후 통치 방식**
① 민족 말살 통치 : 황국 신민화 정책
② 병참 기지화 정책, 국가총동원법

2. 3 · 1 운동과 대한민국 임시 정부
1) **3 · 1 운동(1919)**
① 배경 : 민족 자결주의, 2 · 8 독립 선언
② 의의 및 영향
㉠ 일제 통치 방식 : 무단 통치 → 문화 통치
㉡ 대한민국 임시 정부 수립의 계기

2) **대한민국 임시 정부 수립** : 연통제와 교통국 실시, 한국광복군 창설(1940)

3. 국내 민족 운동의 전개
1) **실력 양성 운동** : 물산 장려 운동(국산품 애용), 민립 대학 설립 운동, 문맹 퇴치 운동

2) **민족 협동 전선 운동의 전개**
① 신간회(1927) : 민족주의 계열 + 사회주의 계열
② 광주 학생 항일 운동(1929) : 일제의 차별 교육, 3 · 1 운동 이후 최대 규모의 민족 운동

4. 국외 민족 운동의 전개

1) 의열단과 한인 애국단

① 의열단 : 김원봉, 식민지 통치 기관 파괴
② 한인 애국단(1931) : 김구가 결성
㉠ 이봉창 : 도쿄에서 일왕의 마차에 폭탄 투척
㉡ 윤봉길(1932) : 상하이 홍커우 공원에 폭탄 투척

2) 1920년대 국외 무장 독립 투쟁

① 봉오동 전투(1920) : 홍범도(대한 독립군)
② 청산리 대첩(1920) : 김좌진(북로 군정서군)

09. 대한민국의 발전

1. 대한민국 정부의 수립과 6 · 25 전쟁

1) 8 · 15 광복과 대한민국 정부의 수립

① 카이로 회담(1943) : 한국의 독립 최초 약속
② 8 · 15 광복(1945.8.15)
③ 모스크바 3국 외상 회의(1945.12) : 신탁 통치 실시
④ 대한민국 정부 수립 : 1948.8.15
⑤ 반민족 행위 처벌법 제정 : 친일파 청산 시도, 실패
⑥ 농지 개혁 : 유상 매수, 유상 분배

2) 6 · 25 전쟁(1950) : 북한이 남침(1950. 6. 25) → 유엔군 파견 → 인천 상륙 작전, 서울 수복 → 중국 개입 → 1 · 4 후퇴 → 휴전 협정(1953)

2. 민주주의의 시련과 발전

1) 4 · 19 혁명(1960)

① 3 · 15 부정 선거 → 이승만 대통령 하야
② 장면 내각 : 내각 책임제

2) 박정희 정부

① 경제 개발 5개년 계획 추진, 한 · 일 협정 체결
② 유신 헌법(1972) : 대통령에게 강력한 권한 부여

3) 5 · 18 광주 민주화 운동과 6월 민주 항쟁

① 5 · 18 광주 민주화 운동(1980) : 신군부의 전국 계엄령 확대 → 광주에서 민주화 시위
② 6월 민주 항쟁(1987)
㉠ 박종철 고문 치사 사건, 4 · 13 호헌
㉡ 6 · 29 민주화 선언(대통령 직선제)
③ 민주주의의 발전과 정착
㉠ 노태우 정부 : 올림픽 개최, 남북 유엔 동시 가입
㉡ 김영삼 정부 : 금융 실명제 실시, 지방 자치제 실시
㉢ 김대중 정부 : 외환 위기 극복, 대북 화해 협력 정책, 제1차 남북 정상 회담(2000)

01. 자신과의 관계

1. 사람이란 무엇인가?

1) 사람의 특성

① 이성적 존재 : 인간은 정신적 능력이 있으며 생각하는 존재임

② 사회적 존재 : 다른 사람과 더불어 살아가는 존재

③ 도구적 존재 : 필요에 따라 도구를 제작 사용

④ 문화적 존재 : 문화를 계승, 발전시키는 존재

⑤ 도덕적 존재 : 자신을 반성하고 가치를 창조하는 삶을 살아가는 존재

2) 인간의 본성

① 성선설(맹자) : 사람의 본성이 본래 선하다는 입장

② 성악설(순자) : 사람의 본성이 본래 악하다는 입장

③ 성무선악설(고자) : 사람의 본성이 선하거나 악한 것으로 정해져 있지 않다고 보는 입장

2. 도덕의 의미

1) 욕구와 당위

① 욕구 : 무엇을 얻거나, 무슨 일을 하고자 하는 것

예 '늦잠을 자고 싶다.'
'컴퓨터 게임을 하고 싶다.'

② 당위 : 인간이라면 마땅히 해야 하거나 해서는 안 될 것

예 '노인에게 자리를 양보해야 한다.'
'약속을 잘 지켜야 한다.'

2) 도덕

① 도덕 : 사람으로서 마땅히 지켜야 할 도리이자 보편적 사회 규범

② 도덕의 필요성

· 올바른 삶을 살아가는 기준이 됨

· 살기 좋은 사회를 만드는 기준이 됨

· 다른 사람들과 더불어 행복한 삶을 살 수 있게 해 줌

3. 도덕적 성찰

1) **도덕적 성찰** : 마음을 반성하고 살펴, 말과 행동에 잘못이나 부족함이 없는지 돌아보는 것

2) 도덕적 성찰의 방법

① 유교의 경(敬) : 마음을 집중하고 엄숙하게 하여 말과 행동을 조심하는 것

② 불교의 참선 : 잡념을 버리고 마음을 가라앉히는 것

③ 일상생활의 성찰 방법 : 일기쓰기, 좌우명 활용하기, 명상하기

02. 사회 · 공동체와의 관계

1. 인간 존중

1) **인간 존엄성** : 인간이기 때문에 지니는 절대적 가치로, 모든 인간은 인간이라는 이유만으로 존엄하게 대우받아야 함

2) 동 · 서양의 인간 존중 사상

① 공자의 인(仁) : 인(仁)을 실천하는 삶

② 석가모니의 자비(慈悲) : '내가 소중하듯 남도 소중하며, 나와 남을 하나로 여겨 크게 사랑하라'

③ 예수의 아가페 : 조건 없는 사랑

④ 단군의 홍익인간(弘益人間) : '널리 인간을 이롭게 하라'

⑤ 동학의 인내천(人乃天) : '사람이 곧 하늘'

2. 문화 다양성

1) **다문화 사회** : 다양한 문화가 공존하는 사회

2) 문화 이해의 태도

① 자문화 중심주의 : 자신의 문화를 기준으로 다른 문화를 열등한 것으로 여기는 태도

② 문화 사대주의 : 자신의 문화를 낮게 평가하고, 다른 문화를 우수한 것으로 여겨 그것을 동경하는 태도

③ 문화 상대주의 : 그 문화가 생기게 된 배경이나 원인을 그 사회의 관점에서 이해하려는 태도

07 _ 도덕

03. 세계 시민 윤리

1. 세계 시민이란?

1) **세계화** : 전 세계의 여러 나라가 정치, 경제, 문화 등 다양한 영역에서 서로 의존하고 세계가 하나로 연결되는 현상

2) **세계 시민** : 민족이나 국가와 같은 지역 공동체를 넘어 지구 공동체의 구성원으로 살아가는 사람

2. 세계 시민이 직면한 도덕 문제

1) **세계 시민이 직면한 도덕 문제**
   ① 경제 및 사회 정의의 훼손 : 부의 불평등한 분배 문제 발생
   ② 지구 환경 파괴 : 과도한 에너지 소비 및 개발로 인한 환경 파괴 발생
   ③ 문화 다양성의 훼손 : 전 세계의 문화가 강대국의 문화로 획일화되는 문제 발생
   ④ 평화의 위협 : 영토나 자원 확보를 둘러싼 갈등, 종교나 이념의 대립 등 분쟁과 전쟁 발생

2) **도덕적 문제 해결을 위한 세계 시민의 자세**
   ① 자연을 정복의 대상이 아닌 조화와 공존의 대상으로 인식하기
   ② 국가 간 격차, 기아와 빈곤 등을 해결하기 위해 공적 원조하기
   ③ 세계 평화를 위해 분쟁과 전쟁을 적극적으로 저지하고 예방하기
   ④ 문화적 다양성의 차이를 이해하고 존중하기
   ⑤ 적극적인 봉사 활동 등 실천적인 활동에 동참하기

04. 타인과의 관계

1. 정보화 시대

1) **정보화 시대** : 사회의 모든 분야가 정보를 중심으로 움직이고 변화됨

2) **정보화 시대의 도덕 문제**
   ① 사생활 침해 : 사이버 공간에 개인 정보가 유출되면 범죄에 악용될 수 있음
   ② 인터넷 중독 : 정상적인 일상생활이나 현실에서의 인간관계 형성에 어려움을 겪게 됨
   ③ 저작권 침해 : 다른 사람의 지적 창작물을 불법으로 복제 · 거래하여 정신적 · 경제적 피해를 줌
   ④ 사이버 폭력 : 허위 사실 유포, 악성 댓글 등으로 피해자에게 엄청난 정신적 충격을 줌

2. 정보화 시대에 도덕적 책임

1) **사이버 공간의 특징** : 익명성, 개방성, 자율성, 비대면성

2) **도덕적 책임의 필요성**
   ① 익명성을 악용하여 무책임한 행동을 함
   ② 잘못된 정보의 개방과 공유로 인한 피해가 발생함
   ③ 비대면성의 특성으로 현실 공간에서 하기 어려운 말이나 행동을 쉽게 함

3) **정보화 시대에 요구되는 도덕적 자세**
   ① 존중의 의무 : 자신 및 타인을 소중히 여기고 존중함
   ② 책임의 의무 : 자신의 행동이 낳을 결과를 예상하고 책임질 수 있어야 함
   ③ 정의의 의무 : 옳고 그름을 분명히 하여 타인을 대해야 함
   ④ 해악 금지의 의무 : 다른 사람에게 부당하게 피해를 끼치는 행위를 해서는 안 됨

05. 사회 · 공동체와의 관계

1. 국가의 기원과 역할

1) **국가의 기원**
   ① 자연 발생설(아리스토텔레스) : 인간은 사회적 본성으로 자연스럽게 국가가 형성되었다고 봄
   ② 사회 계약설(홉스, 로크, 루소) : 개인의 필요에 의해 계약을 맺어 국가가 생겼다고 주장함

2) **국가의 구성 요소**
   ① 객관적 요소 : 국민, 영토, 주권
   ② 주관적 요소 : 연대의식

3) **국가의 역할**
   ① 외부의 침입으로부터 국민을 보호하고, 영토를 지킴

② 사회 질서를 유지하고 국민의 안전한 생활을 보장함
③ 국민들 간의 갈등을 조정하고, 서로 협력하도록 함
④ 모든 국민이 최소한의 인간다운 삶을 살 수 있도록 노력함
⑤ 국민에게 소속감과 같은 정신적 안정감을 갖게 함

2. 준법과 공익 증진

1) **준법** : 공동의 규범인 법을 지키는 것

2) **시민 불복종**

① 시민 불복종 : 기본권을 침해하는 국가의 권력 행사를 합법적인 방법으로 막을 수 없을 때 국민이 가지는 불복종의 권리
② 시민 불복종의 조건 : 목적의 정당성, 비폭력성, 최후의 수단, 책임성

06. 자연 · 초월과의 관계

1. 인간과 자연의 관계

1) **자연이 소중한 이유** : 자연으로부터 얻은 혜택 때문만이 아니라, 자연과 자연에 속한 수많은 생명체는 그 자체로 소중하기 때문

2) **자연을 바라보는 관점**

① 인간 중심주의적 자연관 : 인간을 자연보다 우월한 존재로 보고, 자연을 지배하고 이용할 수 있다고 봄
② 생태 중심주의적 자연관 : 인간과 동식물, 산과 바다 같은 무생물은 모두 자연의 일부이며 그 자체로 소중하다고 봄

3) **환경 문제의 심각성**

① 생존의 문제와 직결됨
② 익명적 특성
③ 한번 파괴된 생태계는 복원이 어려움

4) **환경 친화적 소비 생활**

① 환경 친화적 소비 생활 : 생태계가 지속될 수 있게 하는 소비 생활
② 환경 친화적 소비 생활의 실천 사례

윤리적 소비	자신의 소비가 사회와 환경에 미치는 영향을 고려하는 소비 → 공정 무역, 슬로푸드 운동, 로컬 푸드 운동
녹색 소비	환경에 미치는 영향을 최소화하는 소비

2. 과학과 윤리

1) **과학 기술의 긍정적 영향**

① 풍요롭고 편리한 삶
② 시간과 공간의 제약 극복
③ 건강 증진

2) **과학 기술의 부정적인 영향**

① 과학 기술 만능주의
② 핵무기 개발로 인한 공포
③ 인권 및 사생활 침해
④ 환경 문제

3. 과학 기술의 한계와 위험성

1) **과학 기술의 한계**

① 과거에 과학적 진리로 통하였던 이론이 잘못된 것으로 판명되는 경우가 존재함
② 새로운 과학 기술로 발생할 수 있는 문제를 예상할 수 없음

2) **과학 기술의 바람직한 발전 방향**

① 과학 기술의 긍정적인 측면만을 강조하면 과학 기술의 위험성을 지나치기 쉬움
② 과학 기술이 올바른 방향으로 나아갈 수 있도록 반성하고 성찰하는 태도를 지녀야 함

3) **과학 기술을 책임 있게 활용하는 자세**

① 인간의 존엄성과 인권을 존중하는 자세
② 동식물의 생명과 생태계를 보전하는 자세
③ 미래 세대를 고려하는 자세

정답 및 해설

Answer and Explanation

01 분수와 소수

01. ① $\frac{4}{2}$ ② $\frac{6}{4}$ ③ $\frac{15}{2}$
④ $\frac{12}{13}$ ⑤ $\frac{30}{100}$ ⑥ $\frac{7}{14}$

02. ① $3 \div 10$ ② $13 \div 100$ ③ $4 \div 5$
④ $1 \div 20$ ⑤ $3 \div 50$ ⑥ $3 \div 250$

03. ① 0.3 ② 0.7 ③ 0.2
④ 1.5 ⑤ 0.05 ⑥ $\frac{6}{10}$
⑦ $\frac{12}{10}$ ⑧ $\frac{13}{100}$ ⑨ $\frac{252}{1000}$
⑩ $\frac{234}{100}$

02 분수의 사칙연산

01. ① $\frac{7}{3}$ ② 1 ③ $\frac{1}{5}$
④ $\frac{7}{18}$ ⑤ $\frac{5}{8}$ ⑥ $\frac{7}{30}$
⑦ $\frac{3}{4}$ ⑧ $\frac{7}{6}$ ⑨ $\frac{11}{25}$
⑩ $\frac{1}{50}$

02. ① $\frac{15}{8}$ ② 4 ③ $\frac{1}{6}$
④ $\frac{1}{9}$ ⑤ $\frac{8}{3}$ ⑥ $\frac{5}{2}$
⑦ 0 ⑧ 0 ⑨ $\frac{2}{3}$
⑩ 1

03 약수와 배수

01. ① 1, 2, 3, 4, 5 ② 2, 4, 6, 8, 10
③ 3, 6, 9, 12, 15 ④ 4, 8, 12, 16, 20
⑤ 5, 10, 15, 20, 25 ⑥ 6, 12, 18, 24, 30
⑦ 7, 14, 21, 28, 35 ⑧ 8, 16, 24, 32, 40
⑨ 9, 18, 27, 36, 45 ⑩ 10, 20, 30, 40, 50

02. ① 1 ② 1, 2
③ 1, 3 ④ 1, 2, 4
⑤ 1, 5 ⑥ 1, 2, 3, 6
⑦ 1, 7 ⑧ 1, 2, 4, 8
⑨ 1, 3, 9 ⑩ 1, 2, 5, 10

04 수의 범위

01. ① 4, 5, 6, 7, 8, 9 ② 6
③ 1, 2, 3, 4 ④ 10, 11, 12, 13, 14, 15

02. ① 현, 다율 ② 영화

05 소인수분해

01. ① a^2 ② x^3 ③ $a^2 \times b^2$
④ $3^3 \times 7$ ⑤ 2×3^2 ⑥ $5^3 \times 7^2$

02. ① 2^2 ② 2×3 ③ 2^3
④ $2^2 \times 3$ ⑤ 2^4 ⑥ 2×3^2
⑦ $2^2 \times 5$ ⑧ $2^3 \times 3$ ⑨ $2^2 \times 7$
⑩ 2^5 ⑪ $2^2 \times 3^2$ ⑫ $2^3 \times 5$
⑬ $2 \times 3 \times 7$ ⑭ $3^2 \times 5$ ⑮ $2^4 \times 3$

06 정수

01. ① 3 ② -11 ③ 5
④ 1 ⑤ 6 ⑥ -5

02. ① 9 ② -6 ③ 4
④ 1 ⑤ 8 ⑥ 7

03. ① 9 ② -5 ③ -6
④ -4 ⑤ 22 ⑥ 16

04. ① -6 ② -14 ③ 15
④ 27 ⑤ 0 ⑥ 30

05. ① -2 ② -2 ③ 2
④ 1 ⑤ 0 ⑥ -5

기초다지기

인쇄일	2022년 2월 24일
발행일	2022년 3월 3일
펴낸이	(주)매경아이씨
펴낸곳	도서출판 국자감
지은이	편집부
주소	서울시 영등포구 문래2가 32번지
전화	1544-4696
등록번호	2008.03.25 제 300-2008-28호
ISBN	979-11-5518-115-7 13370

한양 시그니처 관리형 시스템

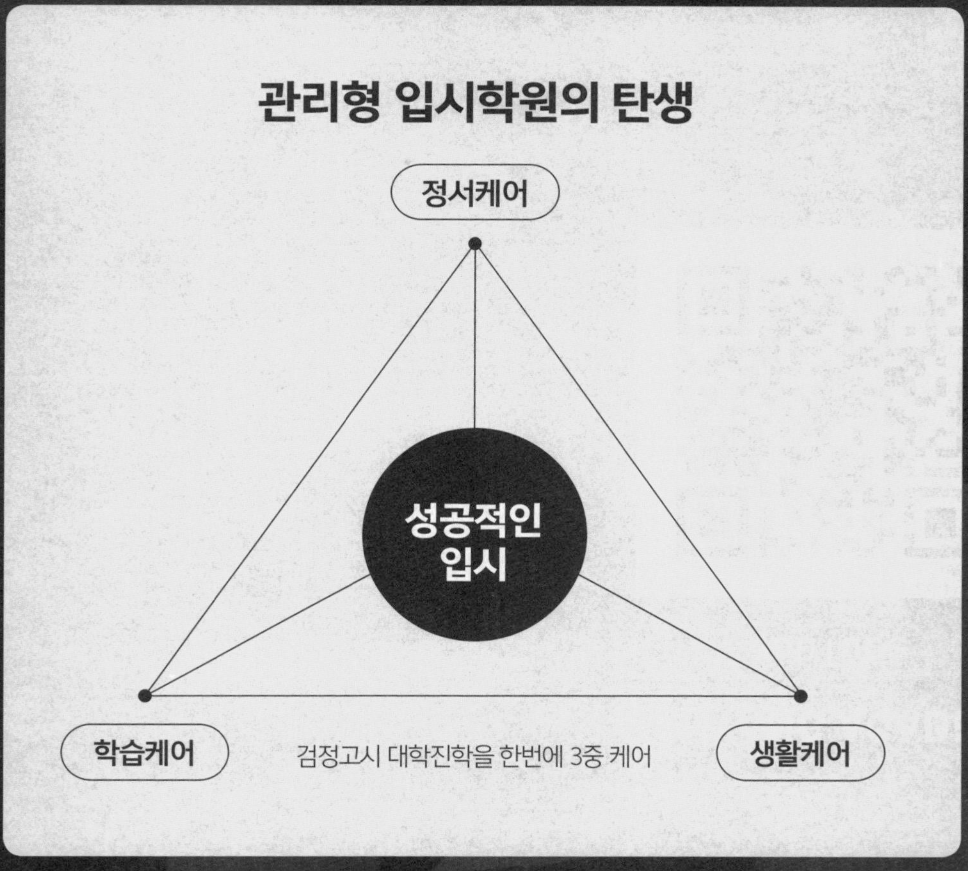

정서 케어

- 3대1 멘토링 (입시담임, 학습담임, 상담교사)
- MBTI (성격유형검사)
- 심리안정 프로그램 (아이스브레이킹, 마인드 코칭)
- 대학탐방을 통한 동기부여

학습 케어

- 1:1 입시상담
- 수준별 수업제공
- 전략과목 및 취약 과목 분석
- 성적 분석 리포트 제공
- 학습플래너 관리
- 정기 모의고사 진행
- 기출문제 & 해설강의

생활 케어

- 출결점검 및 조퇴, 결석 체크
- 자습공간 제공
- 쉬는 시간 및 자습실 분위기 관리
- 학원 생활 관련 불편사항 해소 및 학습 관련 고민 상담

한양 프로그램 한눈에 보기

· 검정고시반 중·고졸 검정고시 수업으로 한번에 합격!

기초개념	기본이론	핵심정리	핵심요약	파이널
개념 익히기	과목별 기본서로 기본 다지기	핵심 총정리로 출제 유형 분석 경향 파악	요약정리 중요내용 체크	실전 모의고사 예상문제 기출문제 완성

· 고득점관리반 검정고시 합격은 기본 고득점은 필수!

기초개념	기본이론	심화이론	핵심정리	핵심요약	파이널
전범위 개념익히기	과목별 기본서로 기본 다지기	만점 전략서로 만점대비	핵심 총정리로 출제 유형 분석 경향 파악	요약정리 중요내용 체크 오류범위 보완	실전 모의고사 예상문제 기출문제 완성

· 대학진학반 고졸과 대학입시를 한번에!

기초학습	기본학습	심화학습/검정고시 대비	핵심요약	문제풀이, 총정리
기초학습과정 습득 학생별 인강 부교재 설정	진단평가 및 개별학습 피드백 수업방향 및 난이도 조절 상담	모의평가 결과 진단 및 상담 1차 검정고시 대비 집중수업	자기주도 과정 및 부교재 재설정 1차 검정고시 성적에 따른 재시험 및수시컨설팅 준비	전형별 입시진행 연계교재 완성도 평가

· 수능집중반 정시준비도 전략적으로 준비한다!

기초학습	기본학습	심화학습	핵심요약	문제풀이, 총정리
기초학습과정 습득 학생별 인강 부교재 설정	진단평가 및 개별학습 피드백 수업방향 및 난이도 조절 상담	모의고사 결과진단 및 상담 EBS 연계 교재 설정 학생별 학습성취 사항 평가	자기주도 과정 및 부교재 재설정 학생별 개별지도 방향 점검	전형별 입시진행 연계교재 완성도 평가

모든 수험생이 꿈꾸는
더 완벽한 입시 준비!

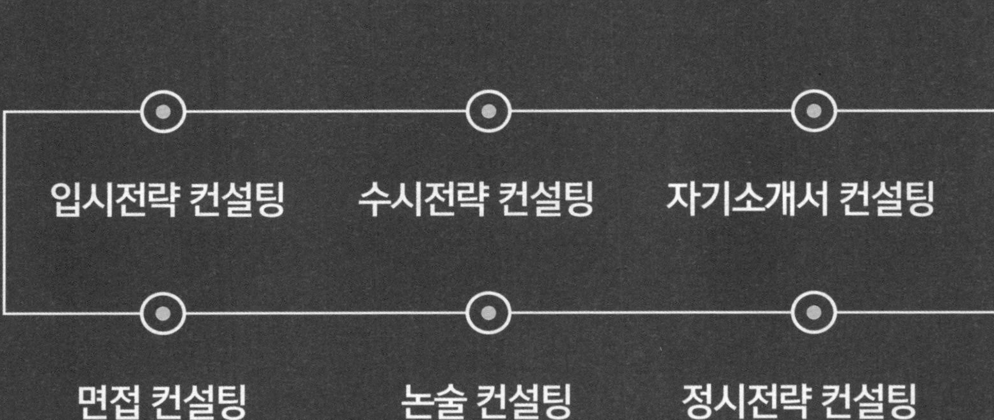

입시전략 컨설팅

학생 현재 상태를 파악하고 희망 대학
합격 가능성을 진단해 목표를 달성
할 수 있도록 3중 케어

수시전략 컨설팅

학생 성적에 꼭 맞는 대학 선정으로
합격률 상승! 검정고시 (혹은 모의고사)
성적에 따른 전략적인 지원으로 현실성
있는 최상의 결과 보장

자기소개서 컨설팅

지원동기부터 학과 적합성까지 한번에!
학생만의 스토리를 녹여 강점은
극대화 하고 단점은 보완하는
밀착 첨삭 자기소개서

면접 컨설팅

기초인성면접부터 대학별 기출예상질문
대비와 모의촬영으로 실전면접
완벽하게 대비

대학별 고사 (논술)

최근 5개년 기출문제 분석 및 빈출 주제를
정리하여 인문 논술의 트렌드를 강의!
지문의 정확한 이해와 글의 요약부터
밀착형 첨삭까지 한번에!

정시전략 컨설팅

빅데이터와 전문 컨설턴트의 노하우 /
실제 합격 사례 기반 전문 컨설팅

MK 감자유학

We go together!

KEY STATISTICS

30년+ 전통교육그룹

Educational

감자유학은 교육전문그룹인 매경아이씨에서 만든 유학부문 브랜드입니다. 국내 교육 컨텐츠 개발 노하우를 통해 최상의 해외 교육 기회를 제공합니다.

17개 국내최다센터

The Largest

감자유학은 전국 어디에서도 최상의 해외유학 상담을 제공할 수 있도록 국내 유학 업계 최다 상담센터를 운영하고 있습니다.

15년 평균상담경력

Specialist

전 상담자는 평균 15년이상의 풍부한 유학 컨설팅 노하우를 가진 전문가 입니다. 이를 기반으로 감자유학만의 차별화 된 유학 컨설팅 서비스를 제공합니다.

24개국 해외네트워크

Global Network

미국, 캐나다, 영국, 아일랜드, 호주, 뉴질랜드, 필리핀, 말레이시아 등 감자유학 해외 네트워크를 통해 발빠른 현지 정보 업데이트와 안정적인 현지 정착 서비스를 제공합니다.

2,600+ 해외교육기관

Oversea Instituitions

고객에게 최상의 유학 솔루션을 제공하기 위해서는 다양하고 세분화된 해외 교육기관의 프로그램이 필수 입니다. 2천개가 넘는 교육기관을 통해 맞춤 유학 서비스를 제공합니다.

OUR SERVICES

현지 관리
안심시스템

엄선된
어학연수교

전세계 1%대학
입학 프로그램

전문가
1:1 컨설팅

All In One
수속 관리

해외 어학연수
English Language Study

해외 인턴십
Internship

해외 대학유학
University Level Study

해외 초중고유학
Early Study abroad

해외 영어캠프
English Camp

기초다지기 한권으로 시작하는 검정고시 첫걸음

기초부터 차근차근 시작할 수 있는 교재

기초가 없어 시작을 망설이는 수험생을 위한 교재

도서출판 국자감

www.kukjagam.co.kr

값 15,000원

13370

ISBN 979-11-5518-115-7